EL
MINISTERIO
DEL
DRAMA
Y LA
PANTOMIMA

El ministerio del drama y la pantomima

Judy Whitener

CASA BAUTISTA DE PUBLICACIONES

CASA BAUTISTA DE PUBLICACIONES
Apartado Postal 4255, El Paso, TX 79914 EE. UU. de A.
www.casabautista.org

El ministerio del drama y la pantomima. © Casa Bautista de
Publicaciones, 7000 Alabama St., El Paso, Texas 79904, Estados
Unidos de América. Todos los derechos reservados. Prohibida su
reproducción o transmisión total o parcial, por cualquier medio, sin
el permiso escrito de los publicadores.

Ediciones: 1994, 1996, 1998, 1999, 2001
Sexta edición: 2002

Clasificación Decimal Dewey: 792.3

Temas: Mímica
Obra de evangelización

ISBN: 0-311-11076-2
C.B.P. Art. No. 11076

3 M 8 02

Impreso en EE. UU. de A.
Printed in U.S.A.

CONTENIDO

SEGUNDA PARTE
(Guiones)

PRESENTACION

Con mucha alegría vemos que en muchos países de habla hispana se está desarrollando un cada vez más grande ministerio de evangelización mediante el drama y el uso de los mimos. Numerosos grupos de jóvenes y adultos se están volcando a calles, plazas, paseos públicos y centros de compras con el propósito de presentar la buena noticia al público necesitado de Jesucristo. En base a este entusiasmo, hemos querido ofrecer en un solo volumen todo lo que un grupo necesita para desarrollar este tipo de ministerio, enfocado con la óptica de nuestro pueblo hispano.

La presente obra consta de dos partes. En la primera se enseñan los principios básicos para formar un grupo de mimos. Desde el comienzo se enfatiza la seriedad de este ministerio y la búsqueda de excelencia en la presentación del mensaje más importante en la historia de la humanidad. Además, se ofrece una presentación amplia de los aspectos técnicos necesarios para desarrollar cada presentación. La segunda parte contiene guiones evangelísticos, algunos para ser usados con mimos, otros son dramas hablados y otros son monólogos.

Todas las citas bíblicas usadas en esta obra han sido tomadas de la versión *Dios Habla Hoy*.

La autora de esta obra es una misionera en México, que se ha capacitado ampliamente en cuanto al tema. Actualmente posee su propio grupo de mimos y se dedica totalmente a enseñar en cuanto a este ministerio en México y en otros países de América Latina.

Introducción

Al tomar este libro en sus manos, tal vez usted lo ha hecho por curiosidad... o tal vez alguien se lo regaló... o quizá siempre ha habido en su corazón el deseo de aprender más sobre el tema del ministerio cristiano a través del drama y la pantomima. Cualquiera de estas razones es válida, pero si se trata de la última de ellas, le felicitamos muy especialmente. Su deseo puede convertirse en una realidad, pues quizá el Señor le esté llamando para servirle en esta manera.

En el Salmo 37:4 leemos: "Ama al Señor con ternura, y él cumplirá tus deseos más profundos." Dios sabe, aun mejor que nosotros mismos, lo que verdaderamente nos hará sentirnos felices, contentos y completos en su plan. Es por ello que él pone deseos en nuestro corazón y quiere cumplir esos anhelos. Por eso, piense que posiblemente haya sido el Señor quien puso en su corazón el deseo de leer este libro y saber más acerca del teatro cristiano.

Sabemos que Satanás es el príncipe de este mundo, y que las artes, tales como la música, el drama y las obras literarias están siendo astutamente usadas por él; ahora es el tiempo cuando debemos empezar una guerra contra él para recuperar lo que es nuestro.

En el ministerio del drama y la pantomima tomamos dos de las armas que Satanás ha retorcido, las enderezamos y las afilamos para usarlas contra él mismo. ¿Estará el Señor llamándole a usted para ser un soldado en esta guerra?

Drama es una forma de comunicación por medio de la cual se puede contar una historia, ya sea a través de las palabras o de las acciones de los personajes. La pantomima o mímica es una representación sin palabras. Esta era una forma popular de diversión en el imperio romano. El mimo pinta una imagen en la mente del espectador a través de gestos y movimientos del cuerpo.

Lo que distingue las representaciones del teatro cristiano del mundano es que, en el primero, la presencia de Jesús y la unción del

9

Espíritu Santo están en los participantes y obran en las personas que reciben el mensaje.

A través de estudios que se han hecho sobre el asunto, se ha llegado a la conclusión de que la mente recuerda más información y detalles cuando la imaginación se pone a trabajar. Entonces, es posible que a través del ministerio del teatro cristiano pueda alcanzarse a mucha gente que no puede ser alcanzada con otros métodos evangelísticos.

Tal vez todavía no esté usted 100% convencido de que estas bellas artes pueden ser útiles en la evangelización de su país. Permítame darle la respuesta a su cuestionamiento por medio de los siguientes ejemplos:

Un joven cristiano se siente frustrado porque no ha ganado a nadie para Cristo. Quiere servir en su iglesia y evangelizar fuera de ella, pero no sabe predicar, ni cantar, ni tocar un instrumento. Alguien le invita a participar en el grupo de teatro cristiano. Por fin él encuentra un método de evangelizar que va de acuerdo con los dones que el Señor le ha dado.

El 95% de los cristianos no ha ganado a nadie para Cristo. "La cosecha es mucha, pero los trabajadores son pocos", dice la Palabra de Dios. También, los estudios indican que 70% de los adolescentes que asisten regularmente al templo, al llegar a los 18 años dejan de asistir. Al preguntárseles por qué se han alejado de la iglesia, muchos de ellos responden: "Porque no me dejaron trabajar." No importa la edad, cada cristiano verdadero tiene el deseo en su corazón de hacer algo para su Señor. Este ministerio creativo ofrece a los jóvenes maneras a través de las cuales pueden testificar y traer a las personas a los pies de Cristo.

Hemos dicho que el ministerio del drama y pantomima es efectivo porque puede alcanzar a más gente que otros métodos evangelísticos. Imaginemos esta escena: Un predicador se encuentra en el parque presentando un sermón acerca de los pecados y el infierno. Nadie le hace caso. Muy frustrado y desanimado, la siguiente vez invita a mimos cristianos para que lleven a cabo una presentación, aunque duda que el público realmente les preste atención. Cuando los niños ven las caras pintadas piensan que se trata de payasos, e insisten con sus padres para acercarse a verlos.

A veces se escucha decir a algunos miembros de iglesias que no pueden recordar nada acerca del sermón del pastor pero, en cambio, recuerdan cada detalle de la pantomima que algún grupo de jóvenes presentó. Algunos han dicho: "Nunca voy a olvidar ese mensaje."

La pantomima cristiana utiliza la imaginación y presenta un mensaje con el cual uno puede *ver* y *experimentar* el evangelio, en vez de solamente oírlo.

¿Se ha convencido usted de que el drama y la pantomima cristianos pueden ser útiles en la evangelización de este mundo? ¿Cuál será su respuesta a la invitación de: "¡Usted puede ser escogido por Dios para ser un soldado en la guerra contra Satanás a través de estas dos armas poderosas!"?

PRIMERA
PARTE

Capítulo 1

Propósito de la pantomima y el drama cristianos

El propósito de este ministerio es compartir el amor y el evangelio de Jesucristo en una manera única y creativa. Cuando consideramos cuántas personas asisten a los templos los domingos, y cuántas se van a los parques y lugares de diversión, es evidente que los cristianos de esta época hemos fracasado en presentar la vida abundante en Cristo. Lo que hemos proyectado es una religión aburrida, improcedente e ineficaz. Hemos llegado a ser conocidos como gente aburrida y poco interesante. Cuando el mundo mira a la iglesia parece ver un cuadro en blanco y negro, mientras que lo que Satanás ofrece parece ser uno de colores brillantes y atractivos. ¿Cuál cuadro preferimos nosotros hoy? La respuesta es evidente.

En Génesis 1:26 leemos: "Dijo Dios: Hagamos al hombre a nuestra imagen, conforme a nuestra semejanza." Somos hechos a semejanza de Dios. Entonces los cristianos debemos ser las personas más creativas del mundo, con las mejores ideas. La razón de mi declaración es que Dios, aparte de ser un Dios Salvador, Sanador y Señor, es un Dios Creador. Yo llamo al aspecto creativo la parte olvidada del carácter de Dios. En él habitan todas las buenas ideas que pudiéramos necesitar.

Nos acercamos con confianza a Dios para pedir perdón, sanidad o dirección para nuestra vida, con la seguridad de que él nos contesta. Sin embargo, pocas veces aprovechamos el tesoro de ideas creativas que está a nuestra disposición con sólo pedirlo, como lo están las respuestas a otras necesidades en nuestra vida. Este gran Creador del universo vive en nosotros y nos ofrece su creatividad. Entonces, proclamemos las buenas nuevas en una manera más creativa, que revele y represente mejor a nuestro Creador.

Yo creo que estamos en el principio explosivo de un gran ministerio. Ahora es el tiempo del Señor para alcanzar al pueblo con un mensaje a través del cual las personas puedan ver y experimentar el evangelio, en vez de solamente oírlo.

1. Cómo comenzar

Posiblemente usted ha llegado a convencerse de que el ministerio del drama y la pantomima es un valioso instrumento para la iglesia, pero no sabe cómo comenzar.

Un grupo de teatro cristiano puede estar formado por un número pequeño de personas, pero que tengan un verdadero interés en este ministerio. Con mucha oración, pidiendo al Señor que les revele las ideas adecuadas, y con la disposición y dedicación sinceras para hacer todo lo que sea necesario para ser ejemplos de excelencia en lo espiritual y en las presentaciones, su deseo puede resultar en una gran cosecha de almas.

Aunque este ministerio requiere mucho, al considerar la cosecha y los resultados bien valen la pena los esfuerzos. Tenemos la promesa de que lo que hacemos para el Señor no es en vano, que la palabra que sale de nuestros labios no vuelve a nosotros sin producir efecto, sino que el Señor, quien es el dueño de la cosecha, dará los resultados deseados.

2. Cómo lograr la excelencia en el ministerio del teatro cristiano

Me he referido varias veces al teatro cristiano como un ministerio. Quizá debo explicar la razón por la cual lo llamo así. En Efesios 4:11, 12, vemos que Cristo dio ministerios a la iglesia para la perfección de los santos, para la obra del ministerio, y para la edificación del cuerpo de Cristo. Los propósitos de estos ministerios están incluidos, o mejor dicho, entretejidos con el propósito del teatro cristiano. A través de las obras cristianas, el mensaje de salvación es anunciado y los creyentes son enseñados, animados y desafiados a vivir de una manera que es digna del evangelio de Cristo.

"Teatro cristiano" es mucho más serio que hacer presentaciones, o más que una forma "santa" de diversión para los cristianos. Hay un llamamiento y obligación sobre este ministerio, como el que hay en cuanto a los otros ministerios mencionados en Efesios.

Propósito de la pantomima y el drama cristianos

Permítame hacerle una pregunta: ¿Quién participa en un ministerio? Un ministro, ¿verdad? ¿Qué esperamos que hagan los ministros? Que tengan su tiempo devocional con el Señor, que sean disciplinados (sin disciplina uno no puede ser un buen soldado en el ejército de Dios), que no roben a Dios, sino que den sus diezmos, que tengan integridad, que cumplan su palabra, y que todo lo que hagan sea con el 100% de su ser.

Al participar en el ministerio de teatro cristiano, los miembros del grupo de drama y pantomima llegan a ser ministros, con los mismos requisitos y obligaciones sobre sus vidas que otros ministros. Participar en este ministerio creativo no es algo que deba tomarse a la ligera. Cada persona debe darse cuenta de la responsabilidad que estará aceptando al integrarse al mismo. Pablo desafió a un ministro joven, Timoteo, de la siguiente manera: "Haz todo lo posible por presentarte delante de Dios como un obrero aprobado que no tiene de qué avergonzarse", o, en otras palabras: "Sé un ejemplo de excelencia que agrada a Dios y desafía a su hermano a hacer lo mismo." Ministro joven, participante en teatro cristiano, le desafío también con las mismas palabras: "Sea un ejemplo de excelencia."

Existen dos áreas en las cuales debemos mostrar excelencia: primera, excelencia en las presentaciones, y segunda, excelencia en la preparación espiritual. Veamos más detalladamente cada área:

a. Excelencia en las presentaciones

En el teatro secular, en la televisión, en el cine, vemos excelencia. ¿Cuántos errores puede usted recordar haber visto en tales presentaciones? Seguramente que ninguno, o muy pocos. En cambio, en presentaciones musicales o teatrales en el templo, ¿cuántos errores recuerda? Tristemente en el mundo vemos ejemplos de excelencia, mientras que en el templo con demasiada frecuencia vemos ausencia de ella. Todos hemos visto a hermanos, sinceros pero mal preparados, subir a la plataforma, y antes de la presentación disculparse porque no han tenido tiempo para practicar, porque han estado muy ocupados, etc., y, como para justificar sus errores, dicen: "pero todo es para la honra y gloria del Señor". ¿Qué significa "todo"? ¿Los errores y la falta de dedicación y disciplina personal para prepararse? ¿Cómo puede ser glorificado el Señor con algo que no está bien preparado? Me pregunto si esas mismas personas tendrían tiempo para ensayar si la presentación fuera para el presidente de la república.

En Malaquías 1 Dios reprende a los sacerdotes por menospreciar su nombre al ofrecer como sacrificio un animal defectuoso o enfermo. Encontramos la prohibición de esto en Deuteronomio 5:21. Era tan ofensivo para Jehová que había una maldición para el que ofrecía un animal dañado teniendo uno perfecto en su rebaño. Dios rechaza la ofrenda de quien, teniendo la capacidad de dar lo mejor, escoge dar mucho menos de lo que puede. Nuestro Dios, quien es el gran Rey y Señor Todopoderoso, merece lo mejor.

Conozco casos en los cuales cuando se anuncia que los jóvenes harán una presentación el próximo culto, la congregación gira los ojos y gime silenciosamente como diciendo: "¿Tengo que verles arruinar una obra más?" Una vez que un grupo empieza a presentar obras mal preparadas, la congregación esperará algo deficiente. Tales presentaciones llegan a ser ejemplo de fallas en vez de algo que "abunda en excelencia".

Por lo tanto, todo grupo que acepte este ministerio debe tomar tiempo para ensayar y prepararse para poder ofrecer al Señor LO MEJOR, no MENOS de lo que sea posible.

b. Excelencia en la preparación espiritual

La segunda área, y la más importante en la cual se debe ser ejemplo de excelencia, es la de la preparación espiritual.

El ministerio de pantomima y drama, como todo ministerio, requiere de una buena preparación tanto material como espiritual. De acuerdo con la preparación espiritual serán los resultados.

En Exodo 33:15, 16, Moisés rogó a Dios que fuera con él y el pueblo de Israel, y que no les quitara su presencia. Así los demás pueblos conocerían que habían hallado gracia a los ojos de Dios y habían sido apartados de todos los demás pueblos. Lo que debe dis-

Propósito de la pantomima
y el drama cristianos

tinguir a los grupos de teatro cristiano de otros es la presencia de Dios. Esta presencia de Dios es la que obra en los corazones, la que les hace eficaces en la cosecha y es la que deben guardar como si fuera una joya preciosa. Nuestro Señor Jesucristo nos presentó el mejor ejemplo de un ministerio exitoso durante su permanencia en la tierra. Su éxito no dependió de su personalidad divina. Podemos recordar que él se despojó de su divinidad y se hizo hombre. Dios, nuestro Padre, lo exaltó hasta lo sumo y le dio un nombre que es sobre todo nombre. Pero Jesús siempre buscó la voluntad de su Padre celestial en cada área de su vida (Juan 5:30 y 6:38, 39). Y cuando comprendemos que todo lo que hacemos es para la gloria de Dios y que él como Creador nuestro ha depositado en nosotros ciertas habilidades y talentos, tenemos que reconocer que sin él nada podemos hacer. Por lo tanto hay que buscar una preparación espiritual antes de cualquier presentación.

La Palabra de Dios nos dice en Juan 15:16: "Ustedes no me escogieron a mí, sino que yo los he escogido a ustedes y les he encargado que vayan y den mucho fruto, y que ese fruto permanezca. Así el Padre les dará todo lo que pidan en mi nombre." Dios es quien le ha llamado a usted y le ha capacitado para el funcionamiento de este ministerio, por lo tanto, tenemos que estar recordando siempre que no es por nuestras habilidades o talentos, sino que todo se lo debemos a él.

En el mundo secular existen muchos mimos y dramaturgos, pero ellos no conocen la verdad que nosotros conocemos ni al Señor Jesucristo. Ellos confían más en sus propios talentos, haciendo a un lado la soberanía de nuestro Dios que es el autor de estos talentos. Además, su mensaje no es nada edificante y por lo general su contenido tiene algo de erótico o picaresco; es un mensaje que no le da gloria a Dios.

Por lo tanto, si su grupo quiere servir al Señor con éxito, tome muy en serio las siguientes recomendaciones:

1) Aparte un tiempo devocional para estar orando por la presentación.

2) Desarrolle un tiempo de oración con todo el grupo.

3) Que todo lo que haga sea para la gloria del Señor.

4) Sean buenos transmisores del amor y el perdón de Dios.

3. Cómo tener la motivación correcta

Antes de realizar una presentación se requiere tener en cuenta los siguientes aspectos:

a. ¿Es una exhibición para mostrar las habilidades que tenemos y ser exaltados por los hombres?

b. ¿Lo hacemos solamente para ganar espectadores?

c. ¿Es una presentación más, como otras?

Lo más importante para nosotros, y lo que el Señor tiene en cuenta, es la actitud de nuestro corazón. Como grupo podríamos llenar todos los requisitos establecidos, tales como: buen maquillaje, buen vestuario, buena música de fondo, buenas condiciones climatológicas, etc., pero si antes no hemos estado delante de la presencia del Señor buscando su perfecta voluntad y completa dirección en cada uno de nosotros, esto se convertiría solamente en una presentación más y no daríamos en el blanco que nos hemos trazado: presentar el mensaje de salvación. Tampoco lograríamos que los espectadores acepten al Señor como su Salvador y desarrollen una comunión con el Padre celestial.

Cada vez que tengamos una presentación hagámonos esta pregunta: ¿A dónde queremos que llegue el mensaje, a la mente del espectador o a su corazón? Lo correcto es que llegue a su corazón, debido a que el corazón está conformado por el alma y el espíritu, y el hombre necesita arrepentimiento en su alma. También necesita nacer de nuevo en su espíritu. Cuando tenemos la preparación espiritual buscamos la voluntad del Señor. El es el único que conoce todos los corazones y las actitudes internas de cada uno (Salmo 139:1-18).

En el momento que hacemos la presentación de pantomima, tenemos que maquillarnos la cara. Al hacer esto, perdemos nuestra individualidad y nos volvemos "transparentes". Por lo tanto, vamos a reflejar lo que tenemos dentro de nosotros. Comunicamos lo que sabemos, pero reproducimos lo que somos.

En la medida que somos llenos del amor de Dios, de su poder y su perdón, podremos darlo a conocer a los demás. Esto sólo se obtiene con la presencia del Señor; es decir, fortaleciéndonos espiritualmente.

Mantengamos una relación íntima con Dios. ¡Oremos! Si Jesús necesitaba tiempo con su Padre, ¿cuánto más necesitamos nosotros?

¡Hagamos una diferencia en nuestro país! ¡Seamos ejemplos de excelencia!

Capítulo 2

La dirección, los participantes, el ensayo y la presentación

El ministerio de teatro cristiano es mucho más que presentar obras con un tema cristiano. Pedro y Juan fueron librados de la cárcel y recibieron la orden del ángel de ir y estar de pie en el templo y contar al pueblo todo lo de esta vida nueva; de la misma manera nosotros, antes de rendirnos al Señor, eramos prisioneros del pecado pero recibimos nuestra libertad por medio de Cristo. Ahora tenemos la orden de ir al pueblo que encontremos en plazas, parques y auditorios, y por medio de obras cristianas contarles todo lo de la vida nueva que Jesús nos ha dado. Por ser representantes de nuestro Señor tenemos la obligación de mantener un buen testimonio y ser ejemplos de excelencia en todo lo que hagamos. Existen cuatro elementos en el teatro cristiano, los cuales son dignos de ser tratados para asegurar excelencia en cada área:

1. La dirección

a. ¿Quién puede dirigir?

El director del grupo de teatro debe ser alguien que pueda dar el 100% al dirigir. Es alguien que debe tener la habilidad para guiar, delegar responsabilidades y trabajar en unidad con el líder de los jóvenes, el pastor y demás líderes de la iglesia. Por supuesto necesita tener talento en el área del teatro, así como un llamamiento a este ministerio y una convicción de que es precisamente eso: un ministerio, y no simplemente otra manera para entretener a los jóvenes o preparar un programa especial para la iglesia. El tener la convicción de que Dios está llamando a esta persona a dirigir un grupo, ayudará a superar dificultades y problemas.

b. Ser buen ejemplo

En nuestro Señor tenemos el ejemplo perfecto que nos guía en nuestro caminar cristiano y no deja ninguna duda en cuanto a lo que él espera de nosotros. Un buen líder cristiano, o en este caso un director cristiano, *es y hace* lo que el Señor requiere de sus seguidores, *y aún más*. Si el director no cumple con los requisitos del grupo o no da un buen ejemplo, no tiene derecho a exigir de los participantes. Por ejemplo, ¿cómo puede confrontar a un miembro que siempre llega tarde a los ensayos si él no siempre da buen ejemplo de puntualidad?

c. Tener una meta o visión

Una persona, para poder guiar a otra, necesita saber hacia dónde va. De la misma manera, el director tiene que conocer muy bien el propósito del grupo, la razón de su existencia y lo que Dios quiere que ellos hagan. Sin una meta el grupo y su director no van a llegar a ninguna parte. La meta principal debe estar constituida por varias metas menores. Primeramente viene la meta de largo alcance: la visión. ¿Qué se quiere lograr con el grupo? Luego, hay que tener una meta para cada mes, por ejemplo: ¿Dónde y cuándo van a tener presentaciones? ¿Cuándo van a ensayar? ¿Qué necesitan lograr en cada ensayo para obtener la meta del mes? A través del cumplimiento de las metas a corto plazo finalmente lograrán la visión del grupo, que es la meta principal.

d. Requerir normas elevadas

Existe una correlación entre lo que se requiere de un grupo, su compromiso y, finalmente, la eficiencia del ministerio del mismo. El director que establece normas elevadas va a tener un grupo de calidad elevada. El demandar puntualidad comunica a los miembros que se espera que alcancen normas altas. Sin disciplina no hay excelencia. La puntualidad es la mejor medida de disciplina (o falta de ella). He escuchado diferentes excusas en cuanto a la puntualidad ("Pero... así somos los latinos... etc."). Los cristianos no podemos usar esa pobre excusa. Cuando tuvimos nuestro encuentro con Dios, quizá nos arrodillamos como productos de alguna cultura, pero de allí nos levantamos siendo nuevas criaturas y ciudadanos del reino de Dios. Ahora no sólo somos ciudadanos de nuestro país terrenal, sino además embajadores de un gobierno celestial. He visto a muchos jóvenes que cuando lograron ser disciplinados en su servicio al Señor, pudieron mostrar dedicación, disciplina y excelencia en otras áreas de su vida.

Un buen director no solamente entrena a los miembros de su grupo para tener éxito en el teatro cristiano, sino que también los prepara para cumplir su llamamiento divino, su razón de vivir.

e. Ser paciente con el principiante

¿Qué hace un director con un miembro principiante que parece no tener talento ni habilidad y, sin embargo, es dedicado, fiel y puntual a los ensayos? Primeramente, no debe apresurarse a rechazarlo. Debe tener paciencia con él, dándole papeles pequeños al comienzo, animándole mucho y permitiéndole tiempo para ganar confianza en sí mismo y experiencia. Debe darle otras responsabilidades, por ejemplo ocuparse de los accesorios o manejar los casetes de la música de fondo. Probablemente se sorprenderá de la manera en que el Padre recompensará su fidelidad y diligencia hasta transformarle en un miembro fuerte y logrado. Ha habido algunos casos en los cuales me hubiera equivocado si hubiera rechazado a un participante que, aunque a la vista parecía faltarle toda habilidad para actuar, estaba convencido de que debía estar en el grupo. Hoy, personas como éstas son directores de sus propios grupos, ganando a muchas almas para el reino de Dios y haciendo un impacto en sus pueblos.

f. Un balance entre críticas y comentarios positivos

El director necesita mantener un equilibrio entre la crítica acerca de la actuación de algún miembro y los comentarios positivos. Al corregir al participante debe, al mismo tiempo, buscar algo positivo para mencionar sobre su persona. Los miembros serán más receptivos a la crítica si, por otra parte, se les reconoce lo bueno que hacen.

g. Estar preparado a tiempo y fuera de tiempo

Se ha mencionado que el director del grupo de teatro cristiano debe estar sujeto al pastor y al líder de jóvenes en una actitud de servicio. Recientemente pregunté a algunos directores cuál era una de sus mayores quejas. Sorprendentemente me respondieron: "El pastor nos pide hacer 'algo especial' durante el culto del próximo domingo, dándonos muy poco tiempo para prepararnos. Quisiéramos tener excelencia en nuestras presentaciones, pero ¿cómo podemos hacerlo con tan poco tiempo de aviso?" Primeramente, mi recomendación a un director sería que explique al pastor su deseo de cooperar cuando se les pide una presentación. Pero debe explicarle que para que puedan preparar una obra que sea de valor y sea un ejemplo de excelencia, necesitan más tiempo. Explíquele que sería lo mismo que pedir al pastor que predique a una multitud en un estadio, dándole solamente cinco minutos de aviso para preparar su mensaje. Si los líderes continúan "ofreciéndoles oportunidades" con poco tiempo, le recomendaría que tengan algo listo y preparado en todo momento; en otras palabras, que estén preparados "a tiempo y fuera de tiempo".

2. Los participantes

En un grupo de teatro cristiano exitoso, el director y los participantes trabajan juntos en unidad y armonía y con respeto mutuo. Ya hemos presentado sugerencias para el director; ahora veamos algunos requisitos para el participante.

a. Ser cristiano y desear servir a Cristo con sus talentos

El grupo de teatro cristiano es muy visible y sus miembros son percibidos como representantes de un Cristo vivo. Las personas incrédulas o los creyentes sin un buen testimonio no pueden mostrar el estilo de vida que el grupo predica sobre lo que Dios ofrece o quiere. ¿Cómo puede una persona ministrar a otros cuando ella misma no sabe para quién ni por qué existe el ministerio? El talento o la habilidad que no han sido rendidos a la autoridad de Jesucristo no llevará fruto que permanezca.

b. Estar preparado para cualquier cosa que se requiera

El compromiso del participante debe ser "hacer todo lo que se requiera". Debe estar preparado aun para sacrificarse. Es decir, cumplir con su compromiso, aunque esto signifique perderse de otras actividades más divertidas o atractivas para asistir a cada ensayo, cada reunión y cada representación SIN LLEGAR TARDE. Si el miembro no puede ensayar, o si va a llegar tarde, debe avisar al director anticipadamente. Para enfatizar aún más sobre la importancia de la puntualidad y el aviso al director, los miembros de mi grupo decidieron cobrar una multa por ausencias y tardanzas injustificadas. La multa no es alta, pero les ayuda a recordar que sin disciplina no pueden obtener excelencia en sus vidas.

c. Lo están observando

El participante debe darse cuenta de que al subir al escenario automáticamente se convierte en un líder. Los mismos ojos que le miran durante la presentación le van a mirar después del programa. Ellos lo van a esar observando para ver si mantiene, en otras áreas de su vida, el mismo testimonio y convicciones que presenta en el escenario. Entonces su vida reforzará el mensaje presentado o desprestigiará a su grupo y a su iglesia.

3. El ensayo

Nada substituye a la oración y la preparación espiritual antes de una presentación. Sin embargo, un participante podría orar día y noche y ayunar 40 días, pero si no se empeña en memorizar su parte, asistir a los ensayos, trabajar arduamente y hacer todo lo que es necesario, no estará preparado para la hora de la presentación. La preparación espiritual y el ensayar van juntos. Sin ambas cosas, no se logrará una presentación que toque las vidas y lleve buen fruto.

a. Un elemento importante

El ensayo es uno de los elementos importantes del teatro cristiano, tanto que sin él es casi imposible tener una presentación de calidad. Los participantes dedicados llegan al ensayo con buenas actitudes, dejando su mal humor afuera, listos para trabajar y dar el 100% para lograr las metas del ensayo, aceptando las sugerencias del director y ayudando y animando a otros.

b. Nota al director (o directora):

En realidad, el éxito y el fracaso del ensayo están en manos del director. Para asegurar el éxito hay algunas sugerencias que se deben tener en cuenta:

1) Debe ser sensible a las necesidades espirituales de los miembros. Ellos son más importantes que un ensayo. Si un miembro tiene problemas, detenga el ensayo y ore por él, y luego continúe. Una buena sugerencia sería orar y ministrar a las necesidades espirituales y emocionales de los miembros ANTES de que el ensayo comience. Entonces se podrá lograr el máximo rendimiento del tiempo restante.

2) Esté preparado para el ensayo. Llegue a tiempo con el material y los casetes listos. Decida de antemano lo que quiere lograr y comuníquelo a los miembros. Una meta le da propósito al ensayo. Ensayar sin razón logra muy poco.

3) El ensayo debe comenzar y terminar a tiempo. No debe extender el tiempo del ensayo sin el consentimiento de los miembros. Si ellos no tienen otra obligación y lo aprueban, lo puede extender.

c. Ensayen en el lugar de la presentación

Cada lugar y escenario son diferentes y requieren adaptaciones a nivel de volumen de las voces, de las entradas de los personajes, etc. Si es posible, ensayen en el lugar de la presentación o en uno similar. Recuerde que los cuerpos del auditorio absorben sonido; entonces, cuando el lugar está lleno, la voz no tiene un alcance igual. Una desventaja de una presentación al aire libre es que hay muchos ruidos de vehículos, gente, animales, etc. que apagan las voces, haciendo difícil escuchar. Entonces, es recomendable ensayar afuera, aunque no sea en el mismo lugar.

4. La presentación

a. Siempre lleguen temprano

Siempre debe llegarse temprano al lugar de la presentación, y si es posible antes de la llegada del público. Esto permite que puedan revisar el escenario y averiguar los cambios que se necesitan hacer. El llegar temprano también les da tiempo para preparar el equipo de sonido y grabadora si va a utilizarlos. Pero más importante, tendrán tiempo para orar por el auditorio y prepararse para ser usados por el Espíritu Santo.

b. Nunca se pase del tiempo asignado

Sepa cuánto tiempo tiene el grupo para la presentación. También la manera en que el pastor quiere terminar el programa o reunión. Por supuesto, si quiere recibir otra invitación, respete los deseos del pastor y use solamente el tiempo asignado.

c. Un buen hábito para todos

Para evitar dar lugar a que Satanás cause problemas, sería bueno desarrollar el hábito de no esperar hasta el último momento para buscar, coleccionar y preparar el vestuario y los accesorios para la presentación. Si ésta va a ser en la tarde o en la noche, todo debe estar listo por la mañana. Si la presentación será la próxima mañana, debe procurar tener todo planchado y listo junto a la puerta ANTES de acostarse. Tal vez esté pensando que esto es una exageración, pero hay que tener en cuenta que la mayor parte de las ocasiones en que se olvidan las cosas se debe a los apuros y la falta de previsión. Hay varias cosas que Satanás va a tratar de hacer. Primera, poner a las personas bajo presión. Segunda, hacerlas que olviden las cosas necesarias para la presentación (especialmente los casetes de la música de fondo). El estar preparados con el tiempo necesario es una buena manera de ganarle la partida al Enemigo.

d. Criterios para juzgar la presentación del actor

La comunicación precisa del mensaje deseado depende mucho de la actuación. Esta debe ser convincente. Las siguientes son guías que pueden servir al actor, así como al director, para elevar el nivel en la calidad de la presentación.

1. ¿Cómo se oye el actor?

a) *Pronunciación* - ¿Pronuncia sus palabras claramente?

b) *Volumen* - ¿Se puede escuchar? Si las personas en el auditorio no pueden escuchar al actor, todo el trabajo se pierde. Cuando habla, ¿tiene su voz modulación entre fuerte y suave?

c) *Expresión* - ¿Tiene "vida" su voz...? (¿O, por el contrario, suena aburrida y monótona?)

2. ¿Cómo se ve el actor?

a) *Movimiento* - ¿Cómo se mueve? ¿Son naturales los movimientos?

b) *Presencia* - ¿Comunica su mensaje mientras que mantiene su personaje? ¿Es creíble? ¿Es su presentación más que una simple recitación de palabras?

3. ¿Qué siente, y qué hace sentir a los que ven la presentación?

a) ¿Qué hace sentir a los espectadores?

b) ¿Hay realidad en su presentación?

c) ¿Es convincente?

Capítulo 3
Desarrollo de material original

Una de las preguntas que escucho con más frecuencia es: ¿Dónde puedo obtener material nuevo? La fuente más abundante es la Biblia, aunque no debe limitarse a ella. No hay una telenovela que pueda ser comparada a las historias que encontramos en ella; por ejemplo, la del gran pez que se tragó a Jonás, o los contrastes en la vida de José, desde un calabozo húmedo hasta el trono de Egipto... o el de una mujer convertida en estatua de sal. Por supuesto, el desarrollar material nuevo es más que escoger un pasaje bíblico y actuarlo. He aquí algunas sugerencias que le pueden facilitar esta labor:

Primeramente, debe orar al Creador pidiendo que le revele sus ideas creativas, y esperar con fe la respuesta. Luego, hay algunas preguntas en las cuales debe pensar: ¿Quién será el público? ¿Qué edad tendrán los que lo componen y a qué clase social o nivel intelectual pertenecen? ¿Cuáles problemas o necesidades quiere abordar? Una sola obra no puede hablar a todo tipo de audiencias. Debe decidir qué tipo de mensaje va a comunicar. ¿Desea presentar un mensaje evangelístico? ¿Uno que desafíe al público a considerar la verdad del evangelio? ¿Uno que presente el amor de Dios? ¿O tal vez quiere usar este arte creativo para enseñar sobre la iglesia como el cuerpo de Cristo? (Efesios 4:12, 13).

En las obras cristianas no es necesario tener personajes que representen a Dios o a Cristo. Tampoco es indispensable presentar escenas bíblicas. Esta generación perdida puede entender y aceptar más fácilmente un mensaje presentado en situaciones y palabras de la vida práctica o real. No debe usar un lenguaje demasiado religioso de modo que la audiencia necesite tener un conocimiento de la Biblia bien desarrollado para entender el mensaje. Pero las obras cristianas sí deben presentar principios bíblicos como, por ejemplo, los efectos destructivos del pecado, o la falta del significado de la vida sin Cristo.

Las ventajas de que un grupo pequeño elabore y desarrolle el material para obras nuevas son muchas. Dos o tres es un número excelente de personas para aportar una variedad de puntos de vista, opiniones e ideas creativas. Es una sugerencia sabia tener a alguien del grupo que pueda servir como secretario para ir anotando las ideas. Usualmente una persona o grupo no va a recibir una obra nueva como un regalo "caído del cielo". Con demasiada frecuencia los cristianos oran por algo y entonces "extienden la mano" esperando recibir inmediatamente lo que pidieron. Muchas veces el Padre escoge contestar las oraciones de una persona en la creación de una obra nueva *mientras* que la persona estudia, *mientras* que busca en las Escrituras, *mientras* que se aplica a pensar y trabajar. El Señor puede hacer lo que quiere, pero su Palabra dice que él le da al diligente, no al perezoso. La persona que se dedica a crear material nuevo encontrará que usualmente la fórmula adecuada es: ORAR + IDEA DADA POR DIOS + PENSAR + ORAR + TRABAJAR + ORAR = OBRA NUEVA.

Como fue mencionado, la Biblia no es la única fuente de material nuevo, pero sí una fuente excelente. Además, es el único libro que es la verdad inspirada por Dios y la cual permanece perpetuamente. Después de que usted y su grupo han escogido el versículo o la cita bíblica que quieren desarrollar, y han decidido qué mensaje van a comunicar y con quién lo van a compartir, el siguiente paso es leer la cita muchas veces, preferiblemente en una versión popular. Después se debe buscar la manera de comunicar el mensaje de tal forma que la audiencia pueda ver una aplicación personal. Si lo que están desarrollando es una pantomima, deben recordar que no es necesario hacer mímica de cada palabra del versículo con algún movimiento o expresión. Es mejor expresar solamente las palabras clave y precisas que transmitan mejor el mensaje. Finalmente, la obra debe estar escrita detalladamente, con mucha claridad, de tal forma que sin ver la presentación un grupo tenga la información necesaria para desarrollarla.

Es lamentable que en el área de recordar por escrito obras nuevas que el Señor les ha dado a participantes en el teatro cristiano, aun los más creativos y profesionales han fracasado con demasiada frecuencia. Si la obra no está escrita detalladamente y algunos salen del grupo, es muy difícil recrear la obra con miembros nuevos que no la han visto, o después de que ha pasado mucho tiempo desde su creación. Para que se pueda mantener el mismo nivel de claridad y excelencia con las cuales la obra fue escrita, se recomienda la guía siguiente:

1. Guía para elaborar obras de drama y pantomima

a. Introducción
Es una breve explicación del mensaje de la obra, con el objeto de despertar el interés de la audiencia antes de la presentación.

b. Personajes
El número de participantes en la obra incluyendo el nombre y características principales del personaje que van a representar.

c. Posiciones
Detalles acerca de la ubicación de los personajes en el escenario.

d. Accesorios
Vestuario y objetos especiales usados durante el desarrollo de la obra.

e. Explicación de acciones
Definir, tan detalladamente como sea posible, los gestos y movimientos que realizan los actores en cada escena.

f. Mensaje final
Para enfatizar y aclarar el mensaje de la obra. Puede ser una narración corta y concreta o un versículo clave.

g. Duración
El tiempo que dura la presentación de la obra.

Nota: La obra debe estar escrita con máquina y sin faltas ortográficas. Se deben sacar copias, una para cada miembro del grupo, y dejar el original archivado.

2. Sugerencias en cuanto a citas bíblicas para desarrollar

Mateo 7:24-29 — Los dos cimientos
Mateo 7:1-6 — No juzgar a otros
Mateo 14:13-21 — Jesús da de comer a más de 5000 personas
Mateo 14:22-32 — Jesús camina sobre el agua
Mateo 18:23-35 — El funcionario que no quiso perdonar
Mateo 24:36-44 — Nadie sabe el día ni la hora
Mateo 25:1-13 — La parábola de las diez vírgenes
Mateo 25:14-30 — La parábola del dinero
Marcos 2:1-12 — Jesús sana a un paralítico
Marcos 4:13-20 — Jesús explica la parábola del sembrador
Marcos 12:41-44 — La ofrenda de la viuda pobre
Lucas 10:25-37 — Parábola del buen samaritano
Lucas 12:13-21 — El peligro de las riquezas
Lucas 15:11-32 — La parábola del padre que perdona a su hijo
Lucas 16:19-31 — El rico y Lázaro
Lucas 18:9-14 — El fariseo y el cobrador de impuestos
Lucas 19:1-10 — Jesús y Zaqueo
1 Samuel 17:12-58 — David y Goliat
Gálatas 6:7 — Se cosecha lo que se siembra

3. Presentaciones instantáneas o entrevistas a personajes bíblicos

Una idea que les puede proveer material nuevo e improvisado es hacer entrevistas a personajes bíblicos. Para días especiales (Navidad, Resurrección, Día del Padre o de la Madre, programas juveniles, etc.) pueden "entrevistar" a los personajes de aquel tiempo, lo que vieron, escucharon, pensaron y sintieron. Esto puede servir también como un

Desarrollo de material original

ejercicio entre los miembros del grupo para desarrollar la habilidad para improvisar. En esta presentación participan dos personas. Una de ellas hace el papel del entrevistador, y la otra el del entrevistado. Una versión popular de la Biblia facilita el desarrollo de la conversación en cuanto a los datos básicos. El entrevistador debe hacer preguntas pertinentes para obtener la información que construye el mensaje o ejemplo presentado por la vida del entrevistado.

Aquí les sugerimos algunos personajes bíblicos apropiados:

Jonás — Jonás 1:1-17; 2:10 — 3:10
Eva — Génesis 3
David — 1 Samuel 17:1-50
Sansón — Jueces 16
Daniel — Daniel 6
Zaqueo — Lucas 19:1-10
María Magdalena — Juan 20:1-18; Marcos 14:3-9
Mujer samaritana — Juan 4:1-30
Paralítico de Betesda — Juan 5:1-14
Marta, hermana de Lázaro — Juan 11:1-44
Saulo, su conversión — Hechos 9:1-31
Pilato — Mateo 27:11-26
Ciego de nacimiento — Juan 9:1-38
Noé — Génesis 6:9 — 9:17
Adán — Génesis 2:7 — 3:24

Bibliografía consultada

"Called to Create". Edited by Carol Walden. Resource Publications, Inc.
Henneberry, Kirk. *"Harvesting the Fields"*. House of Prayer Ministries, Inc.

Kipnis, Claude. *"The Mime Book"*. Harper Colophon Books.

Novelly, Maria C. *"Theatre Games for Young People"*. Meriweather Publishing Ltd.

Poling, Debra & Sherbondy, Sharon. Youth Specialties. *"Super Sketches for Youth Ministry"*. Zondervan Publishing House.

Shaffer, Floyd & Sewall, Penne *"Clown Ministry"*. Group Books.

Toomey, Susie Kelly. *"Mime Ministry"*. Meriweather Publishing Ltd.

Capítulo 4

Sugerencias para formar
un grupo de drama y pantomima

1. Elementos importantes

a. Número de personas

El grupo puede estar formado por cualquier número de personas, pero, como ya se ha dicho, es mejor un grupo pequeño de personas dedicadas, que un grupo grande de personas que no son responsables.

b. Dedicación

La dedicación es una cualidad muy importante para la permanencia de un grupo de drama y pantomima. Pase lo que pase, es necesario contar con personas que se comprometan a asistir a todas las prácticas y a cada reunión del grupo, que cumplan lo que prometen y desempeñen todas sus responsabilidades. La dedicación es parte del carácter. No es algo que se pueda enseñar.

c. Compartir la misma visión

El grupo necesita establecer una meta y trabajar en unidad para lograrla. Proverbios 29:18 dice que donde no hay dirección divina no hay orden. Todos deben trabajar hacia una misma meta, o no llegarán a ninguna parte. Una meta podría ser aprender dos pantomimas cada mes y presentarlas el último domingo de ese mes.

d. Tener motivos puros

En el ministerio de la pantomima transmitimos lo que somos. Los motivos para ser parte del grupo son muy importantes. Si, por ejemplo, la motivación de alguno de los participantes es su deseo de impresionar a alguna persona o de hacer alarde de sus talentos, el grupo estará mejor sin esa persona. Cada uno de los aspirantes debe examinar sinceramente sus motivos.

e. Ser humildes

No le robe la gloria a Jesús. Recuerde que no podemos hacer nada sin él. No cometa el error de pensar que por sus talentos su grupo tiene éxito o que las personas vienen a Cristo por la habilidad de usted. Juan 15:5 dice: "Sin mí no pueden ustedes hacer nada", y 2 Corintios 3:5: "No es que nosotros mismos estemos capacitados para considerar algo como nuestro; al contrario, todo lo que podemos hacer viene de Dios."

Somos herramientas o instrumentos usados por el Espíritu Santo. La mano de Dios ha sido quitada de ministerios poderosos porque el líder, el pastor o el evangelista comenzó a pensar que los milagros y el éxito eran resultado de sus talentos o habilidad para predicar. Claro que van a recibir elogios, y no tienen que portarse de una manera exageradamente humilde. Pero los elogios debe ser recibidos con gracia y después ser devueltos al Señor.

Ni dirigir ni participar en un grupo de drama es fácil. Requiere mucho tiempo y trabajo. Hay guerras espirituales que librar. Pero cuando algo vale la pena, y se hace con un buen propósito, se puede resistir todo. Si no nos desanimamos, a su debido tiempo cosecharemos.

Una cosecha grande nos espera. Hoy Jesús nos dice: "Ciertamente la cosecha es mucha, pero los trabajadores son pocos... pidan ustedes al Dueño de la cosecha que mande trabajadores a recogerla."

2. Técnicas de la pantomima

Muchas veces un mimo actúa en un escenario imaginario con objetos imaginarios. Hay que darles substancia y la ilusión de que son reales. El mimo debe recordar cómo se ve el objeto, cómo se siente, su olor, su sabor y cómo suena. Se debe dar forma al objeto como si fuera real, y usar detalles porque solamente por los detalles puede la audiencia entender completamente lo que está expresando el mimo.

Hay consideraciones importantes en la manipulación de objetos imaginarios, como las siguientes:

a. El peso del objeto

El mimo debe expresar la tensión adecuada. Por ejemplo, el acto de levantar un bloque de cemento debe obviamente mostrar una tensión en los músculos de las manos y de los brazos y en el cuerpo, mientras que con una pluma o una fruta pequeña no lo haría.

También, al tomar un objeto, la velocidad aumenta el peso más de lo normal. Debe mostrarlo con un movimiento apropiado de la mano.

b. Tamaño del objeto

Se debe tener mucho cuidado para mostrar el tamaño exacto de un objeto, y una vez que está en su mano, el tamaño debe quedar constante.

c. Para acercarse y tomar el objeto

Para tomar el objeto, el mimo tiene que abrir las manos o los brazos más de lo que el tamaño del objeto es. En esta manera, está dando la ilusión de tomar el objeto de verdad, y no como si el objeto apareciera repentinamente en su mano.

d. Para dejar el objeto

Al dejar el objeto, esté seguro de que lo ha "soltado". Ponga el objeto, relaje los dedos y la mano, abra los dedos y la mano para soltarlo, y entonces retire la mano.

3. Los movimientos del mimo

a. Para definir la acción

Para despertar la atención y definir acciones seguras, es una buena sugerencia moverse primeramente en la dirección opuesta a la acción que está realizando. Por ejemplo, antes de extender el brazo para tomar un vaso, primero haga un movimiento del brazo hacia atrás. Antes de extenderlo para tomar una manzana de un árbol, primero baje su brazo doblado y entonces extiéndalo hacia arriba. Estos movimientos enfatizan la acción que va a suceder y llaman la atención del auditorio hacia lo que está pasando.

b. Cómo caminar en el mismo lugar

Una ilusión es un movimiento que engaña al observador. Las ilusiones posiblemente son los movimientos más difíciles para el mimo. Cuando esté aprendiendo una ilusión, practíquela frente a un espejo. Debe visualizar en su mente la acción de la ilusión antes de tratar de hacerla. Una ilusión es, por ejemplo, caminar en el mismo lugar. Esta ilusión le va a dar más libertad en su presentación. No está limitado a su escenario. Esto es algo que tiene que practicar hasta la perfección antes de presentarlo. Puede caminar a cualquier lugar, cualquier distancia larga o corta sin salir del auditorio.

¿Cómo? Visualice la acción. Levante el pie hacia adelante y comience con la punta de su pie hasta deslizarlo suavemente hacia atrás. Mantenga levantado el talón. Inmediatamente levante el otro pie hacia adelante y así repita sucesivamente. El tronco debe estar muy flexible y el movimiento de los brazos debe ser muy natural como si estuviera caminando en realidad. La pantomima EL CORAZON HECHO PEDAZOS es un buen ejemplo de esta técnica.

Capítulo 5

Aspectos técnicos

1. Información sobre la máscara

a. La cara pintada como una máscara ha llegado a ser una característica distintiva del mimo. La máscara borra la individualidad del actor y enfatiza la cara haciendo posible ver las expresiones desde una gran distancia.

b. La cara blanca tiene un significado religioso. En la mayoría de las culturas es un símbolo de la muerte. Los detalles pintados sobre la cara son símbolos de una vida nueva. Para un cristiano, la muerte del yo es necesaria para que la vida de Cristo tome posesión de él. "Por lo tanto, el que está unido a Cristo es una nueva persona. Las cosas viejas pasaron; lo que ahora hay, es nuevo" (2 Corintios 5:17).

c. En el ministerio del drama, incluyendo el arte de la pantomima, la uniformidad es un elemento importante. Por eso el grupo se viste de la misma manera.

d. La individualidad de la persona es anulada. En realidad la persona es transparente. Su espíritu y amor a Cristo y a sus semejantes son más evidentes. En la pantomima, más que en otras formas de comunicación, la persona comparte lo que es. Un vaso sucio no puede dar agua limpia. Entonces, uno no solamente debe estar bien preparado en cuanto a su apariencia, sino también en su espíritu y su corazón. No podemos dar lo que no tenemos.

---

2. Ejemplos de máscaras que se pueden usar

3. Cómo preparar el maquillaje

a. Ingredientes
50 gramos (2 onzas) de vaselina simple (jalea de petróleo)
50 gramos (2 onzas) de flor de zinc
50 gramos (2 onzas) de manteca de cacao (14 barritas)
2 cucharadas de talco

b. Preparación
1) Mezcle la vaselina con la flor de zinc revolviendo con los dedos hasta obtener una pasta completamente suave y sin grumos.

2) Derrita la manteca de cacao e inmediatamente agregue a la mezcla. Debe revolver con los dedos hasta que esté suave.

3) Agregue dos o más cucharadas de polvo o talco blanco y revuelva nuevamente.

4) Conserve la mezcla en el refrigerador.

4. Aplicación de la máscara

En la mímica y pantomima los actores se pintan la cara en forma de una máscara, a diferencia de los payasos que se pintan la cara totalmente. Antes de aplicar el maquillaje, es mejor vestirse con su ropa de drama y fijar su pelo hacia atrás, dejando la cara descubierta.

a. Aplique ligeramente una base de crema cosmética. Esto es para proteger la piel y poder remover el maquillaje con facilidad.

b. Aplique luego el maquillaje blanco a la cara con los dedos, como una máscara ovalada. Tenga cuidado al aplicarlo cerca de los ojos.

c. Aplique polvo blanco (talco). Esto ayudará a que el maquillaje se impregne mejor.

d. Con un lápiz negro de ojos (delineador), trace el contorno de la máscara blanca. Este trazo es lo que crea el efecto de una máscara.

e. Dibuje una marca sobre y debajo de los ojos para dar expresión y enfatizar los mismos.

f. Pinte los labios de rojo.

5. Cómo quitar el maquillaje

Primeramente quítelo con papel higiénico. Aplique la crema de

43

limpieza y quítela. Lávese la cara con agua y jabón.

6. Utiles indispensables para el mimo

a. guantes blancos

b. zapatillas suaves

c. espejo manual

d. papel higiénico

e. maquillaje blanco

f. hisopos de algodón

g. toalla de mano

h. crema de limpieza o aceite para bebé

i. fijador blanco para maquillaje o talco

j. lápiz delineador negro para ojos o lápiz negro de cera

k. rímel negro

l. lápiz labial rojo

m. sacapuntas

Sugerencia: Cada miembro debe tener su juego de útiles y no pedirlos a sus compañeros. Se requiere menos tiempo para aplicar la máscara si la persona usa sus propios útiles y no pierde tiempo pidiendo prestado algo de otras personas.

Capítulo 6
Los participantes en acción

1. Sugerencias para mejorar la presentación

La meta del drama o pantomima es comunicar una idea. Para esto, el cuerpo y la cara deben estar claramente visibles para el auditorio.

a. Cabello
Despeje su cara del cabello, retirándolo de ella lo más posible.

b. Cara y cuerpo
Vuelva estos hacia el auditorio, tanto como sea posible.

c. Posiciones del cuerpo
1) En la vida real dos personas se ubican directamente una frente a la otra en una mesa para conversar o comer, y un grupo de personas se coloca en un círculo para conversar. Sin embargo, en un escenario las sillas de una mesa deben estar puestas en un ángulo, y las personas en un grupo se colocan en semicírculo.

2) Los actores deben tratar de colocarse en posición de un cuarto (con relación al público) en vez de ponerse de perfil o tres cuartos.

d. Gestos
1) Use el brazo más lejano al público para extender la mano hacia arriba.

2) Si se arrodilla, hágalo con la rodilla más lejana al público.

e. Giros
Si se debe girar el cuerpo para ir hacia otra dirección, procure mantener siempre la cara al frente, hacia el público.

f. Para cruzar el escenario
1) Si dos actores están cruzando el escenario en la misma dirección, el más cercano al público debe mantenerse un paso atrás del

otro para no cubrirlo de la vista del auditorio.

2) Al salir del escenario, el actor debe empezar a caminar con el pie más lejano al público.

g. Energía y expresión

1) En la vida real, los gestos, expresiones faciales y tonos de voz muchas veces son monótonos y suaves. No es así en el escenario.

2) Debe usarse todo el cuerpo.

3) Para hacer un ademán con el brazo, se mueve todo, no solamente la mano o el antebrazo.

4) El actor debe sentir que los movimientos del cuerpo se originan en la cintura.

5) Es importante que todo actor recuerde que en el escenario no debe masticar chicle (goma de mascar), fijar la vista en la audiencia, ni pararse con los tobillos cruzados.

h. La voz

1) Un error que sucede frecuentemente es que un principiante hable muy rápido y con voz demasiado suave.

2) En el drama, el mensaje está en las palabras. Si el público no las escucha, pierde el mensaje.

3) El actor debe proyectar su voz como si estuviera hablando con la persona que se encuentra en la última silla del auditorio.

i. Contacto visual

1) Durante una presentación, el actor debe mirar al público por lo menos la mitad del tiempo.

2) El contacto visual con el público hace que éste participe o entre en el mensaje y en lo que está pasando en la obra.

j. Postura corporal

1) Fuera de la postura específica de un personaje, el actor debe mantener una posición recta con el peso de su cuerpo apoyado en ambos pies, no con las piernas o los tobillos cruzados o la cadera inclinada.

2) Debe evitar hacer movimientos innecesarios con los pies o

mecerse de un lado a otro.

k. Aplomo

1) En cualquier presentación los actores deben actuar con aplomo y confianza en sí mismos, en su habilidad y en su preparación.

2) Si un actor comete un error (y siempre pasa), no debe hacerlo evidente a la audiencia.

3) No debe hacer una mueca, ni reírse, ni cubrir su cara, ni girar los ojos.

4) Estas acciones sólo destacan más el error.

5) Cada actor debe aprender a improvisar, no importa lo que pase.

2. Tres cualidades que debe haber en una obra de pantomima

a. El mimo debe expresar la tensión muscular adecuada.

b. El tamaño de un objeto debe ser constante.

c. Los gestos deben ser exagerados.

1) En la pantomima el mimo proyecta una idea o un pensamiento con gestos y ademanes. Ya que generalmente lo está haciendo ante mucha gente y en un lugar amplio, las acciones y los gestos deben ser exagerados.

2) El mimo pinta una imagen en la mente del público por medio de gestos y movimientos del cuerpo. Para lograr esto tiene que enfocar su vista en cosas imaginarias como si fueran reales. Si el actor no puede "ver" lo que está haciendo, tampoco podrá su audiencia. El éxito depende de que logre hacer esto.

3. Cómo lograr personajes reales

Debe intentar comunicar al público la edad, actitud, emociones y características físicas del personaje por medio de un cambio en su voz, gestos faciales y actitud corporal. De hecho, debe adoptar estos cambios ANTES de entrar al escenario (o si el cambio se produce ya estando en el escenario, debe hacerlo antes de girar hacia el público).

En el momento en que el autor comienza su actuación, deja de ser su propia persona para convertirse en el personaje.

En el escenario el actor representa un personaje con características específicas. La meta de cada actor debe ser la de desarrollar un personaje, hasta el punto que el auditorio crea que en verdad es real. Para lograrlo es indispensable que el actor lo crea primeramente. Le ayudará mucho tomar un poco de tiempo, cerrar los ojos y meditar en las características que distinguen a este personaje de los demás: su forma de caminar, su postura, los gestos o expresiones, etc. Todo el cuerpo es usado para construir el papel. A continuación se describen las áreas que debe tener en cuenta mientras actúa.

a. Postura

Espalda erguida o encorvada, hombros caídos. Una área muy importante, pero tal vez la más olvidada, es la postura. Al entrar al escenario, la postura del actor empieza a comunicar varias características del personaje: su edad, su autoestima, sus actitudes. La postura va unida a los siguientes puntos:

b. Forma de caminar y velocidad

Lento, rápido, pasos inseguros, muy relajado, coqueto.

c. Posición de la cabeza

Poco inclinada, con la nariz levantada, ladeada.

d. Movimientos de las manos

Lo que hacemos con las manos puede contribuir mucho para el papel. Tal vez una de las preguntas más frecuentes al desarrollar un personaje es: "¿Qué hago con las manos?" Los movimientos deben ser los adecuados para el papel; el uso impropio de las manos puede distraer a la audiencia.

e. Expresiones faciales

La expresión facial es el toque principal para el personaje. En la actuación, ya sea drama o pantomima, se utiliza todo el cuerpo, pero

Los participantes en acción

posiblemente la cara es la parte más usada y más importante. Las expresiones faciales revelan la actitud y la edad. Para comunicar bien estos aspectos, tenga en cuenta la frente, los ojos, la boca y las mejillas. El actor puede desarrollar su papel hasta un punto de perfección en cuanto a la postura, la forma de caminar, la posición de la cabeza y los movimientos de las manos, pero si tiene la cara "congelada", es decir, sin expresión, no logrará presentar un personaje creíble.

Cuando desempeñamos un papel es importante establecer las características de esa persona desde el comienzo, y mantenerlas hasta el final. No es conveniente cambiarlas en medio de la presentación, a menos que el cambio sea parte de la trama. Empezar a caminar como una viejita y luego comenzar a caminar como una jovencita, coquetamente, no es realista. El espectador no debe ver un cambio ni variación en el personaje fuera de lo que está escrito en la obra.

4. Cómo hacer papeles dobles

Existe la posibilidad de que usted y su grupo presenten una obra que requiera más participantes de los que hay en su equipo. Por lo tanto habrá la necesidad de hacer papeles dobles. Las siguientes sugerencias les ayudarán.

a. Si una persona representa el papel de un cristiano, él o ella no podrá doblar otro papel. Esto evitará una confusión en el público en cuanto a saber quién es el verdadero cristiano. Si una persona representa a un pecador y después regresa a su papel de cristiano en la misma escena, causará confusión.

b. Si una persona hace papeles dobles, sus personajes no deberán ser presentados uno inmediatamente después del otro. De otra manera, la audiencia pensaría que se trata todavía del mismo papel; es decir que sería difícil distinguir entre uno y otro.

c. Si una persona hace papeles dobles, la diferencia entre los dos personajes debe ser fácilmente discernible. Esto incluye un cambio en la voz, así como en las otras formas de expresión. Los accesorios, si se tienen a la mano, ayudarán a distinguir entre los personajes.

d. Si una persona representa todos los papeles en una obra, para comunicar que hay un cambio de personaje deberá dar un giro y al regresar hacia el auditorio deberá haber tomado las características que se requieran para desempeñar el papel.

5. La pared

Lo ideal es tener un escenario, pero en las calles donde no hay uno accesible, existe otra opción: una "pared" humana. Se trata simplemente de una fila hecha por los mismos participantes, a un lado o en el fondo de donde sería el escenario, dando la espalda al público. En realidad los actores no existen mientras forman parte de "la pared". Cuando están en la fila, no deben hablar, y los brazos deben estar relajados a los lados del cuerpo. Esto ayuda a definir un escenario entre la fila de actores y el público y ayuda a este último a saber cuándo entran a escena o salen los actores. Para "entrar" al escenario, el actor se da vuelta hacia el público. El personaje debe estar bien definido ANTES de girar. Para "salir" del escenario, el actor solamente debe regresar a su lugar en "la pared". Si fuera necesario comunicar el final de la participación de un actor, este puede "congelarse" en la última posición de su representación. De esta manera, el siguiente actor recibe toda la atención del público. "Congelarse" significa no hacer ningún movimiento ni pestañear. Su habilidad de mantenerse completamente inmóvil debe ser tan impresionante como su presentación. Algunas sugerencias importantes son:

a. No congelarse con la boca bien abierta, por la evidente necesidad de tragar saliva.

b. Fijar la mirada en un lugar determinado.

Capítulo 7

Cómo preparar al público
para recibir el mensaje

Antes de presentar obras con un mensaje evangélico, es necesario derribar barreras, suavizar corazones y atraer a la gente. La mejor forma de hacerlo no es gritar a la gente: "¡Arrepiéntanse o se quemarán en el infierno!" Es importante que los espectadores estén relajados y contentos y así tendrán buena disposición y bajarán la guardia. Siendo sensible a lo que está a su alrededor, usted puede encontrar formas prácticas que le ayuden a llegar a los corazones. Sea amigable, tome tiempo para escuchar, sonría, salude y hable con los niños. No pasará mucho tiempo antes de que lo rodee la multitud esperando ver lo que hará luego. Habrá ganado su confianza y apelado a su curiosidad. Las siguientes sugerencias le ayudarán a preparar al público para recibir el mensaje:

1. La aplicación de la máscara frente al público

Pueden comenzar a pintarse la cara en medio del lugar donde van a presentar la obra. La razón por la que se pretende esto es porque al público le va a llamar la atención lo que los miembros del grupo están haciendo. Otra razón es que cuando las personas ven la máscara blanca, lo primero que piensan es en payasos, y esto hace que crean que van a presentar una función divertida. Pero en vez de divertirse con algo chistoso recibirán un mensaje que cambiará sus vidas.

2. Cómo anunciar la presentación

Antes de comenzar las presentaciones es una buena idea dividir el equipo en grupos de dos personas y mandarlos a que anuncien el evento que se tendrá. El llevar puesto el atuendo y la máscara, e ir saltando tomados de la mano, llamará mucho la atención de las personas que seguramente se interesarán en saber lo que va a suceder.

3. El uso de la comicidad

Una buena técnica consiste en hacer cosas que resulten cómicas a los espectadores. No hay nada de malo en hacer reír a las personas mientras sea en una forma sana y dando un buen testimonio. Deben evitarse las bromas pesadas o molestas que puedan ofender al público. Las siguientes pueden ser algunas buenas ideas:

a. Seguir al líder

De entre los miembros del grupo de teatro se designa un líder, y todos los demás hacen una fila detrás de él imitando todo lo que hace. Algunas acciones pueden ser: marchar como soldados, volar como aeroplanos, simular ser trenes o automóviles, saltar como ranas o caminar en una cuerda imaginaria.

b. Pintar una pared imaginaria

Consiste en que dos miembros simulen pintar una pared y uno de ellos accidentalmente pinta al otro. Este, molesto, le arroja pintura a la cara; de esta forma se va desarrollando una serie de acciones graciosas, las cuales manejarán los mimos con la imaginación hasta que salgan del escenario.

c. Desarrollar algún deporte

Los miembros del grupo deberán decidir qué deporte van a jugar. Una vez decidido, cada mimo toma su lugar y representa su parte, tal como si estuvieran jugando un partido real del deporte acordado, con la diferencia de que todo, aun los implementos, son imaginarios.

d. Tirar de la soga

El grupo se divide en dos equipos y un líder. Cada grupo se forma en fila (como los vagones de un tren). Se colocan las dos filas, una opuesta a la otra, quedando los dos grupos separados por una distancia aproximada de dos metros. Los miembros tomarán sus posiciones para sostener una soga imaginaria que va de un grupo hasta el otro. Deben asegurarse de que la altura de la soga sea la misma en todos los miembros y que también tenga la misma tirantez. Para tener una presentación exitosa, las acciones deben simular la realidad lo más que sea posible. El líder se coloca en medio de los dos grupos y da la señal de comenzar. De antemano, los dos grupos habrán decidido cual de los dos va a ganar, así como todas las acciones que van a realizar. Ambos grupos comienzan a tirar de la soga, y en el momento en que el grupo designado esté por ganar, el líder llega y corta la soga con tijeras. Cada grupo cae al suelo, y así termina el juego.

e. "¡Eh! ¡Muchachos!"

Este es un método efectivo para llamar la atención. Todos los miembros se encuentran en el centro del área donde se van a realizar las presentaciones. Luego se dispersan en todas direcciones, excepto uno que se queda en el centro del área. Dicha persona deja pasar dos minutos y después con un grito muy fuerte les llama diciendo: "¡Eh! ¡Muchachos!" Esta es la señal para que todo el grupo regrese al centro con las manos en alto, batiendo las palmas fuertemente y gritando con alegría. Al ver esto, la gente se sentirá interesada de saber lo que va a suceder. Es importante que una vez que haya llegado todo el grupo la presentación comience de inmediato, ya que el público, si no ve nada, puede perder el interés y retirarse.

f. Máquina humana

Reúna a su equipo y juntos formen una máquina humana. Un miembro comienza con una acción o movimiento mecánico poco común, acompañándolo con un ruido que se repite al ritmo del movimiento. Poco a poco cada miembro se une, haciendo su propio movimiento y sonido diferente al de los demás. En poco tiempo tendrá una grande y ruidosa máquina humana. Recuerde que no tiene que significar nada; sólo es para llamar la atención.

g. Rumores

Envíe grupos de dos personas que caminen entre la gente. Cada pareja tendrá una conversación de "rumores". Una de las dos personas hablará en voz alta frases como: "¿Qué?" "¿Quién va a estar?" "¿Haciendo qué?" "¿Vinieron de dónde?" "¡Qué bueno... eso es algo que siempre he querido ver!" La otra persona le contestará en voz baja, casi en un susurro. Asegúrense de estar en un lugar visible y de llevar una conversación que llame la atención de la gente, procurando que el público no pierda la curiosidad. ¡Sean creativos!

4. Sugerencias para testificar

Testificar es comunicar lo bueno y maravilloso que Dios ha hecho en nuestras vidas y las bendiciones que recibimos; sin embargo, a veces no se sabe cómo hacerlo. A continuación presentamos algunas sugerencias y ciertas reglas que hay que cumplir para testificar.

a. Al formarse un equipo ministerial, es importante seguir el ejemplo bíblico de salir en parejas
1) Un equipo formado por un joven y una joven. ¿Por qué? La imagen de un varón representa más respeto y protección.
2) Una persona con experiencia junto con otra que no la tenga. Así esta última se sentirá más confiada.
3) Uno puede estar hablando, mientras que el otro ora. Sean sensibles a la dirección del Espíritu Santo. No se dejen llevar por sus emociones o pensamientos, sino dejen obrar al Espíritu.

b. Algunas reglas importantes
1) Observar la higiene personal. Evitar el mal aliento, el mal olor del cuerpo o la ropa sucia.
2) No tratar de forzar a nadie a aceptar a Cristo.
3) No usar un lenguaje muy bíblico (como "lavados en su sangre" "santificados", etc.). Muchos no lo entenderían.
4) No interrogar a las personas ni exigir que cuenten su pasado.
5) No perder el control ante cualquier situación. Recordar que "tenemos dominio propio".
6) No hablar todo el tiempo de la mala vida que el que testifica tuvo antes de su conversión, ni de lo malo que es el diablo. Al contrario usar el tiempo para hablar de la dulzura y bondad de Jesús.
7) No predicar sobre "leyes" a un recién convertido como: no use

esa ropa, no se corte el cabello, etc. Dejar que el Espíritu Santo se encargue de obrar en cada vida.

8) En vez de hablar de la condenación o del apocalipsis, es mejor hacerlo sobre pasajes que muestran el amor de Cristo.

9) No pensar que si se usan palabras elegantes el mensaje será más efectivo. Recuerde: "la palabra mata, mas el espíritu vivifica". Trate de presentar un mensaje claro y sencillo.

10) No decir que la religión evangélica es la verdadera. No somos "religiosos". Cristo es la verdad y nosotros somos sus discípulos.

11) No hablar mal de otras iglesias, pues eso demostraría que no hay unión entre los cristianos.

c. Lo que necesita

Si usted forma parte de un grupo que testifica en calles, al aire libre, etc., debe ser muy práctico y llevar sólo lo necesario.

1) Su Biblia es lo más importante; al compartir pasajes bíblicos trate de que la persona pueda leer para que se sienta más identificada. Si es posible no lleve una Biblia demasiado grande ni demasiado pequeña. Use una de tamaño regular. Aprenda a manejarla bien.

2) Si se hace una presentación en pantomima, explique el porqué del maquillaje y el vestuario.

3) Lleve un lápiz y un papel para escribir los nombres y direcciones de los nuevos convertidos. Ore por ellos, y sobre todo muestre mucho amor.

4) Distribuya tratados; los más eficaces son los de presentación atractiva y con un mensaje claro y sencillo.

d. Su presentación personal

Si usted no es parte de un equipo de drama, sino alguien que testifica en las calles, es recomendable que su vestimenta sea informal. Si va a un barrio pobre no vaya con la ropa más elegante que tenga, pero tampoco vaya en las peores fachas. Recuerde que usted es un embajador de Cristo y lleva un mensaje muy importante. Sólo necesita ropa decente, limpia y confortable. Vístase de acuerdo con el medio en que está.

5. Cómo ministrar a la gente

Mateo 10:16 dice: "¡Miren! Yo los envío a ustedes como ovejas en medio de los lobos. Sean, pues, astutos como serpientes, aunque también ingenuos como palomas."

a. Sea genuino... sea usted mismo, no imite a nadie.

b. Dirija y centre su conversación en Cristo.

c. Sea amistoso, aunque no lo traten con amabilidad.

d. Ofrézcase a orar por alguna necesidad que tengan las personas a las cuales está testificando; siempre habrá alguna. Esto les demostrará que usted tiene un verdadero interés por ellos.

e. Tenga fe al testificar. Usted siembre la Palabra, y el Señor se encargará del resto.

f. No dé dinero (excepto si ve una verdadera necesidad). De lo contrario, la gente puede acostumbrarse a buscarle por interés.

g. Siempre dé una sonrisa de amor.

h. Aprenda de sus errores y no los repita.

SEGUNDA
PARTE

El corazón hecho pedazos

(Pantomima de un personaje)

Introducción: En este mundo moderno hay personas especializadas para hacer reparaciones de todo tipo. Hay mecánicos para los autos descompuestos y médicos para huesos rotos, pero ¿quién puede reparar un corazón quebrantado? En esta pantomima vemos que sí existe *alguien* que se especializa en corazones hechos pedazos. Sí, hay esperanza aun para la vida destrozada, porque para este "especialista" nada es imposible.

Personaje: Un **mimo**

Posición: Se ubica a un lado del escenario dando la espalda al público.

Entrega su corazón a Dios

Entra al escenario y camina en el mismo sitio, pero dando la impresión de que en realidad se está moviendo. De pronto escucha por un momento una voz. Busca con la mirada, tratando de saber quién le habla, pero no lo descubre. Vuelve a escuchar la voz. Es la voz de Dios... le presta atención. Dios le está pidiendo su corazón, y el **mimo**, después de vacilar por un momento, se decide. Se pone las manos en el pecho, se saca el corazón que late entre sus manos y se lo entrega. El **mimo** se queda parado por unos instantes con los brazos abiertos dirigidos hacia el cielo con una expresión de paz. Luego baja los brazos, y con la mirada hacia el cielo muestra felicidad.

Entrega su corazón a otro

Para comunicar a la audiencia que una persona imaginaria se le acerca, el **mimo**, manteniendo su concentración en el Señor y con la mirada hacia el cielo, mueve hacia arriba bruscamente el hombro derecho como si la otra persona estuviera llamando su atención. Luego vuelve la mirada hacia el lado derecho, donde está la persona imaginaria.

59

El **mimo**, para comunicar a la audiencia que la persona le está pidiendo su corazón, hace una indicación con la mano, señalando hacia ella. Luego dibuja la forma de un corazón sobre su propio pecho, y nuevamente señala hacia la persona. Hace ademanes como si estuviera diciéndole: "¿Tú quieres que te entregue mi corazón?" Con una señal de la mano le contesta que espere un momento.

Vacila por un momento, pero se decide y golpea la puerta del cielo. Le pide a Dios que le devuelva su corazón para dárselo a la persona. Toma el corazón en sus manos (debe parecer que late) y se lo entrega, con una expresión de ilusión y amor, a la persona imaginaria.

Corazón hecho pedazos

El **mimo** vacila por unos instantes, pero luego cambia su rostro a expresiones de angustia, y ruega a la persona que le devuelva su corazón. Con las manos extendidas, y una expresión de súplica en el rostro, moviéndose de un lado a otro, simula tratar de tomar su corazón. Para comunicar a la audiencia que la otra persona ha tirado su corazón al suelo, el **mimo** lleva la mirada desde la persona imaginaria que sigue estando a la derecha, hasta el suelo, a su lado izquierdo.

Expresa mucho dolor. Se arrodilla a recoger los restos de su corazón. Una vez que lo tiene en las manos, llora y comienza a poner los pedazos del corazón en su pecho, suspirando con dolor cada vez que un pedazo es colocado. Luego se da una suave palmada en el pecho como para fijar los pedazos en su lugar. Después mira hacia el cielo, y con las manos juntas esconde el corazón, y gira la cabeza avergonzado.

Dios sana el corazón

El **mimo** camina en el mismo sitio, dando la impresión de que en realidad se está moviendo, con una postura del cuerpo muy decaída y una expresión de tristeza y dolor.

Manteniendo la misma actitud, escucha de pronto una voz del cielo. Con una expresión de vergüenza cubre su corazón con las dos manos para tratar de esconderlo, y continúa caminando.

Vuelve a escuchar la voz del cielo. Le presta atención y comienza a sacar pedazo por pedazo de su corazón, suspirando cada vez con mucho dolor. Con una actitud de vergüenza ofrece al Señor los pedazos de su corazón. Se los entrega, y baja los brazos. Por unos instantes permanece parado mirando hacia el cielo con el rostro triste. Poco a poco va cambiando la expresión a una de alegría y gozo para mostrar al público que el Señor le ha perdonado y sanado su corazón.

El **mimo** toma en las manos su corazón que ahora está completo y latiendo. Va a colocarlo en su lugar, pero medita unos instantes y decide entregárselo al Señor. Muestra mucha alegría y se congela, mientras que los versículos son leídos. Sale del escenario.

Narrador: "El Señor está cerca, para salvar a los que tienen el corazón hecho pedazos y han perdido la esperanza" (Salmo 34:18).

Tiempo de duración: 3.5 minutos
Adaptación de: "Los Cosechadores"

El extraterrestre

Personajes:
Una persona que representa a un extraterrestre
Dos personas que representan a humanos

Nota: El personaje extraterrestre va vestido con vestimenta especial. Puede usar dos antenas en la cabeza y ropa de color brillante; debe llevar consigo un arma de tipo espacial, etc. La voz del extraterrestre debe sonar como la de un robot, metálica y monótona, y los gestos, y los movimientos de los brazos y piernas deben ser mecánicos, con mucha rigidez, sin mostrar ninguna emoción, excepto al final.

Extraterrestre. *(Empieza música de "La Guerra de las Galaxias". Extraterrestre entra y se ubica en el centro del escenario. Cuando está en su lugar, el casete debe ser detenido.)*

Humanos. *(Se acercan al extraterrestre y lo miran y se burlan de su aspecto. Al ver que él permanece inmóvil, intrigados preguntan.)*
—¿Por qué vistes así?

Extraterrestre. —Soy del planeta X-20.

Humano 1. —¿Qué estás haciendo en nuestro planeta?

Extraterrestre. —He venido para destruirlo.

Humano 2. —¡No, tú no puedes hacernos eso! ¿Por qué vas a hacerlo?

Extraterrestre. —Este planeta no tiene ningún valor para nosotros. No detectamos ningún progreso que pueda servirnos; además, estorba nuestra visibilidad.

Humano 1. —¡No! ¡No lo hagas! No podemos escapar a ningún lugar. Nuestras familias viven aquí. Soy demasiado joven para morir y justo ahora que compré mi auto deportivo. ¿Por qué no destruyes Marte? Nosotros somos más inteligentes que ellos. ¡Por favor, no nos destruyas!

Extraterrestre. —Está bien, terrícolas. Si me dan una buena razón yo podría considerarlo.

Humano 2. —Bien, para mostrarte lo inteligente que somos, queremos que sepas que hemos enviado hombres a la luna.

Extraterrestre. —Eso no nos sirve. Nosotros visitamos la luna cuando ustedes estaban en la edad de piedra.

Humano 1. —Pues mira, nosotros tenemos médicos muy capaces que pueden realizar trasplantes de corazón.

Extraterrestre. —Hemos realizado esa hazaña por miles de años. Eso no es nada para nosotros.

Humano 2. —¡Escucha... escucha! Esto sí es importante. Tenemos aviones que viajan a la velocidad del sonido.

Extraterrestre. —¡Oh, gente atrasada! Nuestras naves pueden viajar más rápido que la velocidad de la luz.

Humanos. *(Las dos personas hablan entre sí muy asustadas.)*
—¡Va a destruirnos! ¡Piensa en algo! Tenemos que mostrarle algo que lo impresione... no se me ocurre nada... ¡Ya sé! *(Entusiasmados dicen a Extraterrestre.)* ¡El Hijo de Dios vino aquí!

Extraterrestre. —¿Jesucristo, el Hijo de Dios, vino aquí?

Humanos. *(No muy animados.)* —Bueno... sí.

Extraterrestre. *(Con mucha emoción.)* —¿Qué hicieron? ¿Cómo lo recibieron? Seguramente hicieron para él una capa bordada con oro y piedras preciosas. Imagino que su corona era de diamantes. ¿Lo amaron? ¿Lo adoraron? Quisiera conocer el trono en que él se sentó. ¿Es de oro? Debe de brillar más que el sol. ¡Cuéntenme! ¡Cuéntenme! *(Da un paso hacia ellos, amenazándolos.)* ¿Qué hicieron con él?

Humanos. *(Muy asustados y avergonzados, extendiendo los brazos como para protegerse del disparo.)* —¡Lo matamos!

Narrador: ¡Razas y naciones todas, gente de todos los rincones de la tierra, acuérdense del Señor y vengan a él! ¡Arrodíllense delante de él! Porque el Señor es el Rey y él gobierna las naciones. "Vengan a mí, que yo los salvaré, pueblos de todos los extremos de la tierra, pues yo soy Dios, y no hay otro."

Tiempo de duración: 2.5 minutos

Dios nos dio manos

Introducción: Dice la Biblia que Dios hizo al hombre recto, pero éste buscó muchas perversiones. En la pantomima "Dios nos dio manos" podemos ver la magnitud del amor de Dios, pues aunque el hombre destruyó con su pecado lo bueno y perfecto del propósito de Dios, él no lo desechó sino que por su gran misericordia envió la respuesta, Jesucristo, para rescatar al hombre de su corrupción.

Personajes:
Seis mimos:
    Uno que personifica a Dios y a Jesucristo
    Cuatro **mimos** - dos parejas (hombre y mujer)
    Un **mimo** que personifica a un ciego

Posiciones: Los cuatro **mimos** se colocan enfrente del escenario, en parejas, arrodillados y dando las espaldas al público.

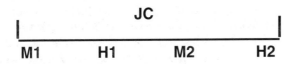

Accesorios: Música de fondo grabada en casete. (Buscar una música suave que dé idea de sonidos del viento para la parte que representa la creación. Se usará una música con más fuerza para la parte que representa el martirio de Jesús.)
Gafas para el ciego

Nota: La presentación será más impresionante si en las escenas de violencia los **mimos** hacen los movimientos con fuerza y dando la impresión de que están dando golpes.

(Al inicio del casete, con el sonido de viento como fondo, Dios comienza a moverse en forma muy lenta. Levanta los brazos lateralmente y poco a poco va girando hacia el público.)

Narración: En el comienzo de todo, Dios creó el cielo y la tierra.

Dios. *(Efectúa la pantomima de estar creando una gran bola con movimientos rotativos de sus brazos; una vez que la ha terminado la tira con fuerza hacia la parte superior derecha. Vuelve a crear otra bola y la tira hacia la parte superior izquierda.)*

Narración: Dios dijo: "Ahora hagamos al hombre. Se parecerá a nosotros." Entonces Dios el Señor formó al hombre de la tierra misma, y sopló en su nariz y le dio vida. Así el hombre comenzó a vivir.

Dios. *(Durante estos momentos se aproxima a una de las parejas y, como si tomara barro del suelo, comienza con sus manos a "trazar" la figura de las dos personas; luego sopla sobre ellos. La pareja cobra vida, se levanta y gira lentamente hacia el público, mientras con admiración miran su cuerpo. Dios se acerca a la otra pareja y realiza las mismas acciones. Ellos también cobran vida y hacen lo mismo que la pareja anterior. Una vez que los mimos están de pie frente al público, Dios muestra una actitud de satisfacción y luego vuelve a su posición original.)*

Narración: Dios nos dio manos

Mimos. *(Los cuatro mimos al mismo tiempo extienden los brazos con fuerza, quedándose con las palmas de las manos hacia el público y en esta posición se "congelan".)*

Narración: Manos para crear

Mimos. *(Efectúan la pantomima de estar creando cosas con sus manos.)*

Narración: Manos para amar

Mimos. *(Cada pareja se abraza y se "congela" en esa posición.)*

Narración: Manos para ayudar

Mimos. *(La mujer de cada pareja pretende caerse, mientras que el hombre le ayuda a levantarse.)*

Narración: Pero nosotros hemos usado estas manos...

Mimos. *(Las personas de cada pareja lentamente se ubican una frente a otra mirando con mucha atención sus manos. Forman un semicírculo.)*

Narración: Para destruir

Mimos. *(En este momento cada mimo extiende con fuerza sus brazos en actitud de rechazo hacia su pareja, y se "congelan".)*

Narración: Para odiar

Mimos. *(La mujer de cada pareja simula dar una bofetada al hombre. El hombre gira su rostro en reacción al golpe y se "congelan" en esta posición.)*

Narración: Para matar

Mimos. *(El hombre de cada pareja simula sacar un cuchillo y lo clava en el corazón de la mujer. Las mujeres caen de rodillas e* *inmediatamente se inclinan hacia atrás. Todos se "congelan" en esta posición.)*

Narración: Dios tuvo para su generación rebelde una respuesta: JESUCRISTO.

Jesús. *(Cuando el nombre de Jesucristo es mencionado, él gira rápidamente hacia el público, con los brazos extendidos.)*

Narración: El extendió las manos de amor y compasión. Pero nosotros las clavamos a una cruz.

Mimos. *(Con una actitud de odio comienzan a acorralar a Jesús, mientras él retrocede, quedándose todos en la posición que muestra el gráfico:)*

JC

H1　　**H2**

M1　　　　**M2**

Mujer 1. *(Comienza a escucharse la música de fondo mientras ella toma a Jesús de los hombros y lo sacude bruscamente, luego lo empuja hacia atrás.)*

Mujer 2. *(Siguiendo el ritmo de la música, golpea a Jesús en el estómago y él se dobla por el dolor.)*

Hombre 1. *(Siguiendo el ritmo de la música, golpea a Jesús en las rodillas y él flexiona las piernas casi a punto de caer.)*

Hombre 2. *(Siguiendo el ritmo de la música, toma del cuello a Jesús y lo empuja. Este cae de rodillas.)*

Hombre 1. *(Siguiendo el ritmo de la música, toma la mano derecha de Jesús, lo levanta bruscamente y lo sostiene extendiéndole el brazo como si estuviera colocándolo en la cruz.)*

Mujer 1. *(Siguiendo el ritmo de la música, simula clavar la mano derecha de Jesús. Da dos golpes.)*

Hombre 2. *(Siguiendo el ritmo de la música, toma la mano izquierda, bruscamente la sostiene y le extiende el brazo como si estuviera colocándolo en la cruz.)*

Mujer 2. *(Siguiendo el ritmo de la música, simula clavar la mano izquierda de Jesús. Da dos golpes.)*

Jesús. *(Durante todo este tiempo, debe mostrar una actitud de mucho dolor y agonía.)*

Mujeres. *(Escupen a Jesús, mientras los hombres se alejan quedando todos en la posición que muestra el siguiente gráfico:)*

```
            JC
      M1        M2
    H1              H2
```

Mujer 2. *(Toma a Jesús del cuello y lo tira con fuerza al piso. Jesús cae boca abajo.)*

Hombre 1. *(Pone su pie sobre la espalda de Jesús tomando una posición de victoria.)*

Los otros mimos. *(Muestran también una posición de triunfo y sa-*

71

tisfacción por lo que han hecho, reflejando en sus rostros maldad y orgullo.)

Hombre 1. *(Después de unos instantes, vuelve a su posición y todos se "congelan".)*

Narración: ¡Pero él no se quedó ahí!

Jesús. *(Con movimientos del cuerpo, lentamente comienza a mostrar señales de vida. Apoyándose en los brazos trata con dificultad de levantarse, pero no tiene fuerzas y vuelve a caer. Mira hacia el cielo, como buscando recibir del Padre la fortaleza que necesita. Y poco a poco se levanta hasta quedar completamente de pie con los brazos extendidos hacia arriba en una posición de victoria, y se "congela".)*

Narración: ¡El resucitó de la muerte! Ahora va por las calles del mundo extendiendo sus manos de amor.

Jesús. *(Extiende sus manos hacia el público.)*

Narración: Para sanar

Ciego. *(Entra en ese momento.)*

Jesús. *(Se acerca al ciego, le pasa la mano por el rostro con una actitud de devolverle la vista.)*

Narración: Y dar vida

Jesús. *(Sopla aliento de vida hacia el ciego sanado.)*

Ciego. *(Se quita las gafas y con mucha emoción eleva los brazos* *hacia el cielo en señal de adoración. Sale del escenario.)*

Narración: ¿Qué vas a hacer tú?

Jesús. *(Se acerca a Hombre 2 y Mujer 2 y les muestra las palmas de sus manos.)*

Narración: ¿Vas a recibirle como el Señor de tu vida?

Hombre 2 y Mujer 2. *(Toman las manos de Jesús y las contemplan. Luego se miran el uno al otro.)*

Narración: ¿Como el Señor de tu corazón?

Hombre 2 y Mujer 2. *(Se arrodillan y oran.)*

Narración: ¿Vas a recibirlo?

Hombre 2 y Mujer 2. *(Se levantan. Toman una posición de adoración con los brazos levantados y se "congelan".)*

Jesús. *(Se acerca a Mujer 1 y le toca el hombro, pero ella cobra vida y con un gesto de rechazo retira bruscamente su hombro de la mano de Jesús. Este se acerca a Hombre 1 y le muestra las palmas de las manos.)*

Hombre 1 y Mujer 1. *(Extienden con fuerza sus brazos hacia Jesús y voltean el rostro para mostrar así su rechazo. Se "congelan" en esta posición.)*

Jesús. *(Con una mirada de tristeza regresa al centro del escenario.)*

Narración: ¡La decisión es tuya!

Jesús. *(En la palabra* tuya, *extiende su brazo señalando con el dedo hacia un lado del público, y mientras se escucha la música, lentamente va recorriendo con el brazo señalando a todo el público hasta el otro lado.)*

Narración: ¿Qué vas a hacer?

Jesús. *(Extiende los brazos hacia el cielo y se "congela" hasta que finaliza la música.)*

Tiempo de duración: 4 minutos
Original de: Youth With a Mission

Máquinas del siglo XXI

Siete Personajes:
   Desesperado. *(Una persona que lleva a su espalda una carga pesada que representa sus problemas, su vacío espiritual y su angustia.)*
   Jesucristo
   5 Máquinas:
   Máquina 1 - Filosofía
   Máquina 2 - Política
   Máquina 3 - Dinero
   Máquina 4 - Alcohol
   Máquina 5 - Drogas

Posiciones. *(Las máquinas entran como robots al escenario y se ubican en una fila, una al lado de otra. Con una posición estática miran al frente y tienen su brazo derecho levantado hacia el frente, pegado al torso y flexionado [como si fuera una palanca]. Desesperado sale desde el público pidiendo ayuda y buscando solución a sus problemas.)*

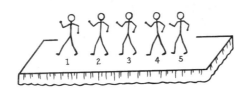

Desesperado. *(Pide ayuda al público pero nadie puede ayudarlo. Llega al escenario casi arrastrándose, en una actitud de que ya no puede más con su carga, hasta que ve a las máquinas y les dice.)* —¡Máquinas! ¡Máquinas del Siglo XXI! ¡Ustedes son la

75

solución a mis problemas, porque ya no puedo más con esta carga tan pesada! Máquina, tal vez tú puedes ayudarme. *(Llega hasta la primera máquina y le baja el brazo.) (Cada máquina, al bajarle el brazo, cobra vida.)*

Máquina 1. —Creo que tengo la solución a tus problemas. La filosofía puede ayudarte. Las religiones son tu solución, la hechicería, el ocultismo. ¿Sabías que tú desciendes del mono? La filosofía es tu solución. ¡La filosofía! ¡La filosofía! ¡La filosofía! *(La máquina se retira a su posición original susurrando estas palabras.)*

Desesperado. *(Mientras la máquina habla, él recibe esa solución susurrando su nombre en voz baja. Pero luego que la máquina vuelve a su posición original, él grita.)* —¡No! ¡La filosofía no es la solución! Pues pasé por todas esas cosas y sólo conseguí vivir engañado. *(Pide ayuda a la Máquina 2.)* Máquina, tal vez tú eres la solución a mis problemas, porque no puedo más con esta carga tan pesada. *(Baja el brazo a la Máquina 2.)*

Máquina 2. —Yo tengo la respuesta a tus problemas: la política. Esa es tu solución. Tendrás mucho poder. Dominarás a mucha gente. Podrás alcanzar altos niveles en la sociedad. Afíliate a mi partido y verás que esa es la solución. *(Se retira a su posición original mientras susurra.)* ¡La política! ¡La política! ¡La política!

Desesperado. *(En un principio recibe muy contento la solución, pero luego dice.)* —¡No! ¡La política no es mi solución! Pasé por todos los partidos pero ninguno cumplió lo que prometió. *(Se vuelve hacia la Máquina 3.)* Máquina, tal vez tú eres la solución a mis problemas. *(Baja el brazo de Máquina 3.)*

Máquina 3. —¡Claro que yo tengo la solución! El dinero es la solución. Con el dinero podrás tener muchas mujeres. Podrás comprar la amistad de las personas. Te respetarán. El dinero es la solución. *(Se retira a su posición original mientras susurra.)* ¡El dinero! ¡El dinero! ¡El dinero!

Desesperado. *(Recibe la solución con alegría, pero luego dice.)* —¡No! ¡El dinero no es mi solución! Tuve mucho dinero. Tuve muchos deleites pero sólo conseguí un gran vacío en mi corazón. *(Se vuelve a la Máquina 4 para pedir su ayuda; le baja el brazo.)*

Máquina 4. *(Cobra vida, y en actitud de ebriedad ofrece la solución:)* —Pero mi amigo, ¿por qué no acudiste a mí? Ven a tomar un trago. Esta es la solución. Mira, podrás emborracharte y olvidarte de tus problemas. Toma, amigo mío. El alcohol es la solución. *(Vuelve a su posición original mientras susurra.)* ¡El alcohol! ¡El alcohol! ¡El alcohol!

Desesperado. *(Recibe la solución en un principio, como en las ocasiones anteriores, pero luego dice.)* —¡No! ¡El alcohol no es mi solución! Yo amanecía bebiendo por días... por semanas. Por ello perdí a mis hijos. Por ello perdí mi hogar. El vino sólo arruinó mi vida. No es la solución. *(Se dirige a la Máquina 5. Pide ayuda y le baja el brazo.)* Máquina, tal vez tú eres la solución a mis problemas.

Máquina 5. *(Cobra vida; actúa y habla de manera errática.)* —¡Claro que tengo la solución! ¡Las drogas! ¡Toma, prueba! *(Saca una pastilla y se la da.)*

Desesperado. *(Rehuyendo.)* —¡No! ¡Esa no es mi solución! Pasé por las drogas.

Máquina 5. *(Se dirige al público y dice.)* —¡Mira cómo se ríen! Eres un despreciado de la sociedad. Mira, nadie te quiere; pero yo te voy a dar la solución definitiva: ¡Suicídate! ¡Suicídate! ¡Suicídate!

(Vuelve a su posición original susurrando esta palabra.)

Desesperado. *(Empieza a llorar desesperadamente, mientras dice:)*
—¡El suicidio es mi solución! *(Se arrodilla y pone los brazos sobre
la cabeza mientras se inclina hasta el suelo.)*

Jesucristo. *(Sale al escenario, y se ubica en el centro, frente al
público, con las manos levantadas dando la espalda a las
Máquinas.)* —Yo soy el camino, y la verdad, y la vida. Nadie viene
al Padre sino por mí.

Máquinas. *(Caminan hasta situarse frente a Jesucristo. Las
Máquinas 1 y 5 clavan las manos de Jesús. Las Máquinas 2 y 4
clavan sus pies, y la tercera Máquina le coloca una corona de
espinas imaginaria en la cabeza. Luego regresan a su posición
original.)*

Jesucristo. *(Cae muerto al suelo)*

Desesperado. *(Mientras las Máquinas crucifican a Jesús, él grita.)*
—¡Máquinas! ¿Qué están haciendo? ¡Nooooooooooo! *(Una vez que
Jesús cae al suelo, él todavía en el suelo y de rodillas, haciendo
mucha lamentación y acusándoles de haber matado a Jesús,
dice.)* ¡Han matado a Jesús! ¡Han matado a mi única solución!

¡Ustedes han matado a Jesús con sus pecados y rebeliones! ¡Máquinas asesinas! *(Luego se dirige a Jesús.)* Jesús, eras mi única solución. Ahora no tengo nada más que suicidarme.

Jesucristo. *(Se levanta, con las manos levantadas.)* —Yo soy la resurrección y la vida, el que cree en mí aunque esté muerto vivirá.

Máquinas. *(Al comunicar Jesús estas palabras, se doblan de la cintura, como muertas. Se quedan en esa posición hasta el fin.)*

María

Introducción: "María" es un monólogo en el que ella expresa sus pensamientos y los sentimientos que experimentó hacia Jesús, primeramente como su hijo, y luego como su Salvador.

Narración:

Parece que sólo fue ayer cuando estaba moliendo trigo y se me presentó en la puerta un extraño, con vestiduras blancas y resplandecientes. Me asustó y yo comencé a temblar delante de su presencia; pero mis temores se calmaron cuando él me dijo: "María, eres amada de Dios, el cual me ha enviado a decirte que concebirás un hijo, quien será grande y reinará sobre las naciones de la tierra. Le pondrás por nombre Jesús." En ese momento recordé las palabras que había conocido desde mi niñez de la profecía de Isaías: "Porque nos ha nacido un niño, Dios nos ha dado un hijo, al cual se le ha concedido el poder de gobernar. Y le darán estos nombres: Admirable en sus planes, Dios invencible, Padre eterno, Príncipe de la paz."

¿Serían verdaderas las palabras de este mensajero? ¿Me habría escogido Dios para ser madre del Mesías tan esperado? En seguida recordé que estaba comprometida con José. ¿Sería ésta la forma en que el niño nacería? Como si supiera mis pensamientos, el mensajero me dijo que concebiría por obra del Espíritu Santo y que el niño sería "el Hijo de Dios".

José era un hombre bueno y justo. Su obediencia a la ley no le permitiría casarse con una mujer que estuviera encinta. Y en ninguna manera quería yo traer mala fama a su familia. ¿Aún querría casarse José conmigo? Yo sólo sabía que Dios me llamaba a ofrecerle mi vida y que me había escogido para servirle como madre de su Hijo. No podía negarme, pasara lo que pasara.

Después de decirme que mi prima Elizabet, quien hasta entonces había sido estéril, estaba encinta hacía ya seis meses, y que nada era imposible para Dios, el mensajero desapareció como la neblina.

Los meses siguientes fueron llenos de emoción y anticipación por la llegada del niño, aunque fueron meses de sospecha y vergüenza. Aun mis amigas más íntimas me rechazaban. Supongo que les era difícil comprender que yo aún era virgen y que el niño que llevaba en mi seno era divino. Creía que José también me iba a rechazar; pero un ángel le apareció en un sueño y le aseguró que el niño que llevaba había sido engendrado por el Espíritu Santo, y que salvaría a su pueblo del pecado. Si no hubiera sido por José, quien me llevó a su casa, yo hubiera sido juzgada según la ley judaica y me hubieran apedreado.

Pero aun durante esas circunstancias tan difíciles, me consolaba y me llenaba de gozo el pensar que Dios me había escogido a mí, una sierva tan humilde, para tener parte en su plan de salvación.

En mi opinión, el edicto romano de que todos los judíos fuéramos empadronados no pudo venir en un tiempo más inconveniente. Yo hubiera preferido que llegara el tiempo de mi alumbramiento estando en Nazaret, mi propia tierra. Pero en la misma forma que yo había sido escogida, también había sido escogido el pequeño pueblo de Belén, de Judá. El viaje de casi 120 kilómetros fue muy difícil, y al llegar allá no había lugar para hospedarnos. Al fin, José pudo encontrar un lugar donde pasar la noche. Era un establo, pero yo estaba agradecida aun por eso, aunque confieso que había esperado un lugar de más dignidad para el nacimiento del rey, especialmente el Hijo de Dios. Pero eso también era parte del plan de Dios.

Le pusimos al niño el nombre de Jesús, como el ángel nos había mandado. Froté su cuerpecito con sal, lo envolví en tiras de tela según la costumbre, y le acosté en un pesebre, pues la paja fue lo más suave que encontré... además, no había otro lugar disponible. ¡Un bebé tan perfecto y tan pequeño! Se me dificultaba imaginar que el Dios del universo pudiera caber en mis brazos. Y cuando lo tenía en los brazos, experimentaba una sensación muy extraña; parecía que él me sostenía a mí.

María

Este acontecimiento, entre otros muchos, me recordaba que el niño era verdaderamente divino. No compartía mis pensamientos con nadie, sino que guardaba todas estas cosas en mi corazón.

El niño era totalmente sano, nunca se quejaba; siempre fue agradecido, y trajo mucha alegría a nuestra familia. Aunque no recibió instrucción formal, Jesús sabía cómo intepretar la Ley y los profetas. Parece que comprendía la Palabra de Dios desde el principio. Aun los doctores de la Ley en el templo se quedaron asombrados cuando, a la edad de doce años, Jesús les preguntaba acerca de la Ley. Creció, y llegó a ser un joven bien parecido. Se parecía mucho a mí. Claro, esta es la opinión de una madre.

Me imagino que para otros era un hombre común y corriente, pero había algo que lo distinguía entre los demás. Era hombre de pocas palabras, a menos de que el tema a tratar fuera del cielo y las cosas de Dios. Entonces hablaba con libertad y sus ojos brillaban en forma especial. Al escucharle, todos sentían la misma presencia de Dios. ¡Tenía tanto amor y compasión, aun para los menospreciados de la sociedad! Yo, siendo su madre, sentía su amor en una forma especial, pero en mi corazón sabía que él amaba a todos, aun a ustedes, tanto como a mí. A veces esto me era difícil de aceptar. Muchos le criticaban por su amor hacia los pecadores. Algunos religiosos que se creían justos trataban de provocarle repitiendo rumores de que José no era su padre, lo que era verdad, pero le acusaron de ser hijo ilegítimo. El respondía a estos duros comentarios diciendo la verdad: que él era el Cristo, el Hijo del Dios vivo. Al fin esto fue lo que lo llevó a la cruz, pero también fue parte del plan grandioso de Dios.

Nunca imaginé que mi primogénito, el proclamado rey de los judíos, moriría como un criminal a sólo siete kilómetros del lugar donde había nacido. Aún ahora se me hace difícil hablar de su muerte. Durante todos aquellos años yo pensaba que había comprendido su misión. Yo también tenía mis propias ideas al respecto. En verdad, yo no era muy diferente a todos los otros judíos que esperaban que él estableciera su reino en la tierra.

Durante las últimas horas en la cruz, yo quería compartir su dolor y tristeza, como había experimentado el dolor con su nacimiento y había compartido las alegrías de su niñez, pero no pude hacerlo.

Sus últimas palabras fueron: "Consumado es...". El había llevado a término la voluntad de su Padre. Pero esas palabras, para mí, tenían aún más significado. En mi corazón sabía que mi papel de madre había terminado. Yo le había tenido en mis brazos. Había escuchado sus enseñanzas. ¿Cómo podía dejarle ir? ¡Era mi hijo! Sólo pude clamar dentro de mi corazón: "¡Dios mío!" En ese momento ya no le vi como mi primogénito o como un profeta rechazado. El se había convertido en MI SALVADOR. Su preciosa sangre fue derramada por mis pecados y por los tuyos también. Sus palabras sonaban claramente en mis oídos.: "Y después de irme y de preparles un lugar, vendré otra vez para llevarlos conmigo, para que ustedes estén en el mismo lugar en donde yo voy a estar." Nunca me había mentido. Mi tristeza fue cambiada en gozo cuando, tres días más tarde, supe con certeza que Jesús había resucitado. Y este gozo no ha disminuido sino que sigue vivo en mi corazón aún hoy. Sé que le veré otra vez. Ustedes también le verán, si creen.

En verdad soy bendita entre las mujeres, no tanto por haber sido escogida para ser la madre del Hijo de Dios, sino porque se me dio el privilegio de amarlo dos veces: primero como mi hijo, pero ahora y para siempre como mi Señor y Salvador quien resucitó y regresará por mí.

Tiempo de duración: 12 minutos

(Las referencias de la vida de Jesús fueron tomadas de los escritos arqueológicos del Sanedrín y el Talmud de los judíos. Estos son los documentos oficiales tomados de las cortes en los días de Jesucristo.)

Los muñecos

Introducción: En esta obra podemos ver claramente el contraste que existe entre las obras de Satanás y el deseo de Dios para la humanidad. Veremos quién tiene la autoridad y reinará sobre ella.

Personajes:
Cuatro mimos (uno que personifica a Dios, uno que personifica a Satanás y dos muñecos. Cada **mimo** estará maquillado y vestido de acuerdo con el personaje que desempeña).
Narrador

Posiciones: Los dos muñecos están ubicados en el centro del escenario con sus cuerpos flexionados desde la cintura y sus brazos totalmente relajados. Dios y Satanás se ubican al lado izquierdo y derecho del escenario respectivamente, de espaldas al público.

(Música de fondo en casete.)

Dios - *(Al comenzar la música de fondo gira hacia el público, se acerca a los muñecos y los observa con mucha tristeza porque no tienen vida. Levanta al primer muñeco, toma los brazos y se los flexiona a la altura de los hombros con las palmas de las manos hacia el frente. Cuando los suelta, el muñeco deja caer los brazos. Como el muñeco no muestra ninguna emoción, Dios le pasa la mano por enfrente del rostro y el muñeco sonríe. Luego Dios coloca al muñeco en posición lateral hacia el público y le da cuerda en la espalda. Se acerca al otro muñeco y ejecuta las mismas acciones. Una vez que los muñecos están frente a frente, Dios sopla sobre ellos para darles vida y regresa a su posición inicial.)*

Muñecos. *(Cobran vida y comienzan a jugar como niños, palmoteando varias veces y luego se "congelan".)*

Satanás. *(Gira hacia el público con una expresión de maldad y* *sagacidad; se acerca a los muñecos. Observa que tienen una expresión de felicidad y decide cambiarlos. Endereza al primer muñeco y le pasa la mano por enfrente del rostro para cambiarle la expresión de felicidad a una expresión de odio. Cambia las manos del muñeco que están abiertas, cerrándole los puños. Luego le da cuerda varias veces, y el muñeco poco a poco va tomando una posición de pelea. Se acerca al otro muñeco y hace lo mismo. Les toca la espalda como una señal para que empiecen a pelear y regresa a su posición inicial.)*

Muñecos. *(Boxean varias veces, y luego se "congelan".)*

Dios. *(Gira hacia el público, mira a los muñecos que están llenos de odio y repite lo que hizo originalmente, para devolverles la expresión de felicidad.)*

Satanás. *(Mientras que Dios devuelve la felicidad a los muñecos, Satanás gira hacia el público y trata de impedirlo cambiándolos nuevamente a una expresión de odio, pero no logra hacerlo.)*

Dios. *(Sopla sobre los muñecos y estos vuelven a jugar como al principio. Echa a Satanás del escenario y toma una posición de autoridad y se "congela". En ese momento los muñecos se "congelan" también.)*

Narrador: "El ladrón viene solamente para robar, matar y destruir; pero yo he venido para que tengan vida, y para que la tengan en abundancia", dice el Señor.

Tiempo de Duración: 3.5 minutos

El soldado
y el vagabundo de la playa

Personajes:
  Narrador
  General Montenegro
  Soldado Godoy
  Cabo Ramírez

Accesorios:
Ropa del ejército para el general, silla de playa, bolsa de playa, radio portátil, dos Biblias, honda, rifle de juguete, casco, lentes para el sol, ropa de playa, goma de mascar, revista secular.

Narrador: Todo ejército está compuesto por soldados, y cada soldado tiene la responsabilidad de pelear sin cesar en el momento de la batalla, tal como su general en jefe le ha enseñado. Pero, ¿qué sucede cuando la irresponsabilidad y la negligencia gobiernan la vida del soldado? Veamos lo que sucede en esta obra, y reflexionemos, a fin de poder decir: "He peleado la buena batalla."
El General es el oficial mayor del cuartel _____ (nombre de la Iglesia). Se está dirigiendo a los soldados recién alistados (la congregación).

General. *(Habla con una expresión durísima y recia. Desde el centro del escenario que estará a oscuras salvo por una luz que ilumina al General, se dirige a la congregación y comienza a dar instrucciones a los nuevos reclutas.)* —¡Buenos días, soldados! *(Espera la respuesta. Si la respuesta es débil, vuelve a repetir la pregunta, hasta obtener una respuesta satisfactoria.)* ¡No los oigo! Soy el general Montenegro, pero pueden dirigirse a mí como "mi general". Ahora escuchen bien: Su comandante en jefe, Jesucristo, los ha traído aquí al cuartel _____ (nombre de la

iglesia), para ser entrenados como soldados del ejército del Señor.
Esto no va a ser ningún día de campo ni tampoco un paseo dominical. Esto va a ser DISCIPLINA. ¡DIS-CI-PLI-NA! *(enfatiza cada
sílaba)*. Serán entrenados como soldados, altamente adiestrados en
las armas de guerra espiritual. Recuerden las palabras de uno de
nuestros antiguos generales: "Nuestra lucha no es contra sangre ni
carne, sino contra huestes espirituales de maldad en las regiones
celestes." Recuérdenlo bien. Ahora, permítanme mostrarles a dos
de nuestros graduados. Uno de ellos está muy bien preparado y es
muy eficiente. El otro... bueno, el otro es bastante deficiente.
Primero veremos al soldado Godoy, el soldado deficiente. *(El
general se hace a un lado para que aparezca el soldado Godoy.)*

Soldado. *(Las luces se encienden mientras Godoy entra al escenario, en el cual se ve una silla de playa. Entra vestido con pantalones cortos [bermudas] y una camisa floreada. Trae puestas
sandalias de playa y lentes para el sol. Lleva consigo una radio
portátil con auriculares, y una bolsa que contiene su Biblia, una
revista secular y una honda. Está mascando goma y haciendo
bombas ruidosamente. Desdobla la silla, mirando hacia el público, enciende la radio y se sienta. Saca la Biblia, la revista y la
honda. Después de unos momentos deja caer la Biblia y la honda
a un lado de la silla, y se pone a leer la revista.)*

General: —La única razón por la cual Godoy se graduó después de
diez años es porque se aprendió de memoria todas las respuestas a
sus exámenes. Veamos qué pasa. *(Se hace a un lado del escenario.)*

Soldado. *(Al público.)* —¡Qué fantástico! *(¡qué chévere!... o
cualquiera otra expresión popular que denota gusto.)* ¡Esto sí es
vida! Todo tan tranquilo; yo solo... conmigo mismo. Sin que nadie
me moleste, conociendo lugares, haciendo turismo. ¡Qué buena
"onda"! ¡Esto es vida! Más vale que me ponga a disparar un rato

para que me oigan. *(Dispara con su honda hacia arriba.)* Algunos toman las cosas muy en serio. Esta guerra espiritual está "padre". He visto a los sargentos y generales hacer cosas "padrísimas". He sido soldado por cinco años. Me pregunto cuándo me van a ascender. Bueno, espero que sea pronto. Nunca pasa nada cuando estoy en servicio. Deberían echar un vistazo a mi currículo. Se darían cuenta de lo que valgo. *(Vuelve a la revista, a su radio y a su goma de mascar. Después de unos quince segundos, empieza a tener dificultad para respirar. Le falta el aire y se ahoga. Se lleva las manos al cuello y se cae de la silla.)*

General. *(Regresa al centro del escenario.)* —Sin que se diera cuenta Godoy, eso fue un ataque planeado por un enemigo invisible para eliminarlo. Es increíble lo que se puede hacer con una goma de mascar envenenada. Además, sin que Godoy se diera cuenta, durante los últimos cinco años el enemigo logró arruinar su matrimonio, destruir la salud de su madre, y quitarle la vida a uno de sus hijos. Además, las finanzas de Godoy y su reputación han sido verdaderamente destruidas por el enemigo invisible. Ahora veamos al cabo Ramírez. *(Sale del escenario.)*

Cabo. *(Se encienden las luces sobre el cabo Ramírez. Está situado en la brecha con su Biblia abierta frente a él, con la cabeza cubierta con un casco y con el rifle en la mano. Al hablar se dirige al público.)* —¡Dios mío, qué pelea! Pobre diablo. No sabe por dónde le estamos llegando. ¡Oh! *(Voltea hacia la batalla imaginaria.)* Sí, mi comandante, veo venir ese tanque de engaño. *(Dispara con su arma al tanque imaginario.)* ¡Le di! *(Comienza a cargar su rifle.)* Ese ataque iba dirigido a mi pastor, ¿verdad, Señor? Sí, ya me lo imaginaba. *(Al público.)* Mi comandante y yo hemos tenido que luchar duramente para conquistar este terreno. Varias veces he tenido que hacer huir al enemigo. Ha sido trabajo muy duro pero ha valido la pena. Toda mi familia está en el camino del Señor, y en toda esta área está surgiendo un avivamiento.

(Voltea hacia la batalla.) Sí, mi comandante, veo el proyectil de desesperación dirigido a mi esposa. *(Apunta y dispara contra el proyectil con su rifle.)* ¡Eso es! ¡Le di! ¡Gracias mi comandante! *(Las luces que han estado proyectadas sobre el cabo Ramírez se van desvaneciendo.)*

General. *(Regresa al centro del escenario.)* —La semana pasada tuve el privilegio de dar un ascenso al cabo Ramírez al rango de primer sargento. ¡Tropas: espero que escojan ser como él y no como nuestro primer ejemplo! ¡La victoria es nuestra! ¿Han oído las palabras: "Yo estoy con ustedes todos los días hasta el fin del mundo"? Pues entonces, ¡pónganse sus uniformes! ¡Tomen sus armas! Nos vemos en el campo de práctica en dos minutos. ¿Está claro? ¡Marchen! ¡Uno..dos...uno...dos...! *(Sale del escenario.)*

Tiempo de duración: 5 minutos
Original de: Ricardo Ryles

Tienen que saber

Introducción: En este mundo de tinieblas y confusión existe únicamente la luz de Cristo para iluminar a una humanidad perdida y sin esperanzas, pero esa luz debe resplandecer a través de nuestras vidas hacia las personas que nos rodean. Dios nos ha llamado a brillar con su amor, porque ellos TIENEN QUE SABER.

Personajes:
Diez mimos. Cada personaje usa su vestimenta y accesorios de acuerdo con el papel que desempeña.

Nota: Esta pantomima está basada en la canción cristiana "Tienen que saber" (música de Greg Nelson y Phil Mchugh, y letra de Steve Green). Necesitarán el casete grabado con la música y la letra. La obra va a desarrollarse en cuatro escenas. Las tres primeras van acompañadas con la música de fondo instrumental. En la cuarta escena se usará la música con la letra. Se necesitan dos sillas, las cuales deberán estar en el escenario, procurando dejar una distancia apropiada entre ellas para que pueda caer el drogadicto desmayado.

PRIMERA ESCENA

En esa escena participan dos **mimos**:
    Mimo 1 - representa a un borracho
    Mimo 2 - representa a la esposa

(La música empieza.)

Mimo 1. *(Entra al escenario con una botella y caminando como si estuviera borracho. Se sienta y sigue bebiendo.)*

Mimo 2. *(Entra muy alegre, pero cambia su expresión al ver al*

Mimo 1. Le pide que ya no beba más y finalmente le quita la botella.)

Mimo 1. *(Se enoja y trata de recuperar la botella; luego de hacerlo, golpea al Mimo 2 y sale del escenario.)*

Mimo 2. *(Se queda muy triste y llorando, sentada en la misma silla en la que anteriormente estaba Mimo 1. En esta posición se "congela".)*

SEGUNDA ESCENA

Participan dos **mimos**:
Mimo 1 - representa a un vendedor de drogas
Mimo 2 - representa a un joven drogadicto

Mimo 1. *(Entra al escenario caminando en una forma muy sospechosa y mirando para todos lados.)*

Mimo 2. *(Muy nervioso, se acerca al Mimo 1.)*

Mimo 1. *(Muestra la droga al Mimo 2 y le pide dinero.)*

Mimo 2. *(Da el dinero al Mimo 1, pero como no es suficiente entrega también su reloj.)*

Mimo 1. *(Entrega las drogas al Mimo 2 y sale.)*

Mimo 2. *(Toma las drogas con sus manos temblorosas, luego expresa dolor y cae desmayado. Se "congela" en esta posición.)*

TERCERA ESCENA

Participan tres **mimos**:
   Mimo 1 - representa a una muchacha muy triste y desilusionada considerando el suicidio. Lleva una pistola en su bolsillo.
   Mimos 2 y 3 - representan a dos personas muy alegres, saliendo de una fiesta.

Mimo 1. *(Entra con una expresión muy triste. Se sienta en la segunda silla y saca la pistola del bolsillo.)*

Mimos 2 y 3. *(Entran muy alegres, con gorros en las cabezas, con serpentinas y llevando copas en las manos, brindando muy felices como si acabaran de salir de una fiesta. De pronto miran al Mimo 1 que está muy triste y le invitan a participar con ellos.)*

Mimo 1. *(Esconde la pistola, se acerca a los Mimos 2 y 3 y comienza a reír y a brindar con ellos. Se siente muy feliz por unos instantes.)*

Mimos 2 y 3. *(Miran el reloj y ven que es muy tarde y tienen que salir. Se despiden del Mimo 1 y salen del escenario.)*

Mimo 1. *(Les pide que no se vayan todavía, pero ellos salen. Entonces se queda muy triste, regresa a su silla y se muestra muy desilusionada. Saca la pistola del bolsillo y la lleva a su sien. Se "congela" en esta posición.)*

(Hasta esta escena se escucha la música instrumental.)

CUARTA ESCENA

(Al iniciar esta escena se usa la música con la letra.)

Participan tres **mimos**:
  Mimo 1 - representa a un religioso
  Mimo 2 - representa a un ladrón
  Mimo 3 - representa a un(a) cristiano(a)

(Durante la primera estrofa de la canción actúan.)

Mimo 1. *(Entra caminando muy orgullosamente y lleva una Biblia. De pronto mira a las personas que están "congeladas" en el escenario. Abre su Biblia, las señala y hace un gesto como expresando que están perdidas e irán al infierno. Luego sale del escenario.)*

Mimo 2. *(Entra y mira a las personas que están en el escenario. Se fija en que nadie lo está observando y decide acercarse al drogadicto que está desmayado. Lo registra para robarle. Le saca la billetera y sale con mucha prisa.)*

*(Durante la estrofa principal de "**Tienen que saber...**" entra Mimo 3.)*

Mimo 3. *(Pasa enfrente de las personas que están en el escenario mientras que muestra compasión por cada una. Regresa y se acerca a la primera persona —la esposa maltratada— y la consuela. Le dice con ademanes y gestos que Dios la ama, pero al principio ella se niega a creerlo. Sin embargo, Mimo 3 abre su Biblia y le enseña que allí está escrito. Ella recibe estas nuevas con regocijo y se abrazan. Mimo 3 le regala su Biblia y sale.)*

(*Durante la siguiente estrofa de "**El nos llama a brillar...**"*)

Esposa. (*Camina leyendo su Biblia. Mira al drogadicto caído. Se acerca a él para ver si todavía vive. Escucha si late su corazón, luego lo ayuda a levantarse y también le comparte del amor de Dios. Le muestra un versículo en la Biblia, oran, se abrazan, le entrega su Biblia y ella sale.*)

(*Durante la siguiente estrofa de "**Tienen que saber...**"*)

Drogadicto. (*Reflejando gozo y paz camina mientras que lee su Biblia. Mira a la muchacha que está muy triste. Se acerca a compartirle del amor de Dios. Ella se niega a creerlo al principio. El le quita la pistola de la mano y le muestra un versículo en la Biblia. Ella recibe el mensaje con gozo, oran, se abrazan y le entrega la Biblia. El drogadicto sale.*)

Muchacha. (*Camina un poco mientras que lee su Biblia; durante las palabras "Debemos proclamar y nuestras vidas dar", señala al público. Durante las palabras "Tienen que saber...", con ademanes y gestos les dice que Dios les ama.*)

Entran la esposa, el drogadicto y la cristiana y hacen una fila con la muchacha. Durante las últimas palabras "Tienen que saber" con ademanes y gestos le dicen al público que Dios les ama. Al fin de la música salen del escenario.

Tiempo de duración: 9 minutos